JN084191

バッティングピッチャー

背番号三桁のエースたち

澤宮　優

集英社文庫

はじめに

ある一流打撃投手の引退

平成二三年二月初旬の読売巨人軍宮崎キャンプ。二八年目の打撃投手生活を迎える五〇歳北野明仁《きたのあきひと》は、一軍の主力選手に対して投げていた。北野はチームの中でも最年長のベテランバッティングピッチャーである。とくにニューヨーク・ヤンキースなどに所属した松井秀喜《まついひでき》とは、巨人時代からずっと打撃練習をともにした間柄だ。松井の信頼も厚かったため、記者たちは北野を「松井の恋人」と呼んでいた。

L字ネットと呼ばれる、リリースする場所だけが凹《へこ》んだネットから北野が投げたときだった。右肘に電流が走ったような激しい痺《しび》れを感じた。痺れは一瞬にして薬指などの指先まで走った。背番号「200」の北野の背中が小さく震えた。

「もう駄目だ」

彼がバッティングピッチャーとして生きることを諦めざるを得なかった瞬間だった。

北野は前年一月にも脊柱管狭窄症《せきちゆうかんきようさくしよう》にかかり、腰の手術を行っている。そのため春季キャンプ期間中をリハビリに費やすこととなり、投げることができたのはシーズン開幕後の四月の末からだった。今年こそはチームに迷惑をかけられないと気負っていた矢先の怪我《けが》だった。

「去年の分まで取り返そう」

そう決意して臨んだキャンプだったが、彼の体は長年の過酷な仕事で限界を超えていた。「握力がなくなり右手が痺れている感覚が続きました。もうボールがしっかり握れないので、抜けたようにふわっとした球しか投げられない。思ったところへも投げられない。チームドクターに見せたらただちに尺骨神経麻痺《しやっこつしんけいまひ》と診断されました」

腕の神経に骨が当たって麻痺を起こしていた。彼の打撃投手人生の終幕はあっけない形で訪れた。まだ引退して一ヵ月余りのとき、その心境を聞くと、彼は一瞬沈黙した後に、ゆっくりと呟《つぶや》いた。

「本当にね、こういう形で無念というか、残念ですね。それだけでしたね」

バッティングピッチャーは、略してバッピと呼ばれることもある。もしくは打撃投手と呼ばれることが多い。どこか哀感の響きのある言葉である。選手の打撃練習のために投げる投手のことだ。現役の投手が打者を抑えるために投げるのと違って、打撃投手は打者に気持ちよく打ってもらうことを目的としている。同じ投手でありながら、存在する意味が百八十度違うのだ。彼らはスピードを落とし、打ちやすい球を投げる。一分間に投げる球は六球から八球。かなりのハイペースである。シーズン中であれば一日に一二〇球、キャンプであれば三〇〇球を毎日投げる。投手の肩は消耗品と呼ばれる。そのため現在プロの先発投手でも中六日の登板にして球数も一〇〇球以上を投げさせることは少ない。そう考えれば彼らの一二〇球という球数は尋常ではない。

しかも彼らは支配下選手登録をされた立場ではなく、裏方と呼ばれるスタッフとして一年契約で働いている。投げられなくなったらそれで終わりだ。多くの大打者は、自分の気に入った打撃投手に専属で投げてもらう。それを「恋人」と称したりもする。

彼らの多くは元プロ野球選手であり、戦力外通告を受けた投手が、第二の人生として打撃投手の道を選ぶ。怪我などで無念のリタイアをした者が務めることがほとんどだ。

こんなエピソードがある。あるベテラン打撃投手の話だ。彼は寡黙な男だが、腕は確かで長年チームのために投げてきた。彼は左腕投手であった。打撃投手は、現役の選手のようにマッサージを受ける機会が少ない。選手を優先するからだ。ある日、珍しく、この打撃投手がマッサージを受けることができた。トレーナーは、彼の右腕と右肩を丁寧に揉《も》んだ後、「はい終了」と言った。このとき打撃投手の彼は呟いた。

「ボク左です」

トレーナーは、彼が左利きということを知らなかったのだ。打撃投手の置かれた立場を象徴する話と言える。打撃投手なしに打者の活躍は生まれない。しかしチームでの扱いはこの程度だった。

私が再び打撃投手を書く理由

私はそんな彼らを取材して、平成一五年に『打撃投手』というタイトルで現代書館から刊行した（平成二三年、角川書店より『この腕がつきるまで――打撃投手、もう一人のエースたちの物語』と改題して文庫として再刊）。打撃投手の哀歌を、二〇世紀の大打者王《おう》貞治《さだはる》、長嶋茂雄《ながしましげお》の恋人を務めた投手を軸に描いた作品である。ただ以前と比べると、打撃投手の様相は様変わりした。かつての打撃投手は、選手兼任で、若手の二軍投手が打撃練習に投げていた。ところが、平成に入ると、打撃投手は選手登録を外され、完全にスタッフとして雇用されるようになった。

ここから専門職としての色彩を強めてきた。取材をするうちに私は打撃投手の持つ奥の深さを垣間見《かいまみ》た。同時に、もっといろんな人に会ってその技術、哲学、奥の深さを書きたいと願うようになった。

打撃投手は長らく無名の元投手が務める仕事だった。しかし専門職となったため、巨人軍のエースだった入来祐作《いりきゆうさく》、日本ハムファイターズで最優秀防御率のタイトルを受賞した岡部憲章《おかべのりあき》、平成五年に西武ライオンズで新人王を獲った杉山賢人《すぎやまけんと》、同じく六年に福岡ダイエーホークスで新人王を獲《と》った渡辺秀一《わたなべひでかず》など主力級の投手が打撃投手を務めるようになったのが、この一〇年の間の変化である。

現役時代に素晴らしい実績を残しても、打撃投手では通用しなかった人もいる。そして取材を重ねてゆくうちに、打撃投手は打者の打ちやすい球を投げるだけでは駄目なのだということもわかった。一流の打撃投手になるためには、さらにワンランク高い技術を必要とする。それは何なのか、本書で明らかにしたいと思う。彼らは取材でその独特の難しさを口にした。この問いへの答えを求めることが、私に再び打撃投手を書かせる強い動機になった。

世界に誇れる日本の文化

打撃投手は日本のプロ野球にしかない独特の制度だ。メジャーリーグや韓国、台湾には専門の打撃投手は存在しない。アメリカでは練習時はコーチが投げる。韓国、台湾でもコーチや選手が投げる。打撃投手とは他の国に先駆けて日本のプロ野球が作った制度である。それは世界でも誇っていい独自の制度だ。その理由も本書で明かしてゆきたいと思う。これを突き詰めてゆくと、日本のプロ野球の独特の面白さも見えてくる。世界に誇れる先進的な文化が打撃投手なのだ。

平成に入り、日本のプロ野球はますます国際化が進んだ。イチロー、松井秀喜、ダルビッシュ有《ゆう》、田中将大《たなかまさひろ》、大谷翔平《おおたにしょうへい》ら、多くの日本人選手がメジャーリーグへ活躍の場を移した。とくに日本人打者がメジャーで活躍できるレベルの高さになるまで、打撃投手は一役買っているはずだ。ワールド・ベースボール・クラシックなどの世界大会も行われ、日本が二大会続けて世界の頂点に立った。日本の緻密で高度な野球は世界の手本にもなった。その土台に打撃投手という独自の制度も一因としてある。

打撃投手を追うことで、日本のプロ野球の新しい姿も見えてくるだろう。

本書の第一章では、松井秀喜、清原和博、イチロー、前田智徳《まえだとものり》ら大打者の打撃投手を務めた人たちの人生を描いた。

第二章では、一軍で活躍した実力派の人たちを描いた。

第三章では打撃投手を襲う不治の病イップス（心理的な要因で起こる行動失調）を中心に、その苦しみの果てに投げた投手を描いた。ここには巨人のエースだった入来祐作投手も登場する。

第四章は、三度三冠王に輝いた伝説の打者落合博満の歴代の打撃投手を描く。打撃投手泣かせの落合に投げた彼らの苦労を追う。

第五章は、打撃投手として円熟の境地に達した〝プロ中のプロである〟ベテランを描く。

第六章は、打撃投手の歴史を描く。打撃投手を通して日本プロ野球の特色を明らかにし、その背景にある日本の文化を描いた。

第七章では、現在の球界で最高の打撃投手と呼ばれる巨人の白井《しらい》正勝《まさかつ》の人生を描く。

第八章は昭和を代表する大スター王貞治、長嶋茂雄の打撃投手を描き、彼らから見た二人の凄さに改めて焦点を当てた。

　この本はどの章から読んでいただいても楽しめる内容になっている。プロ野球の影のエースたちの生き方を見つめることで、野球の面白さを知っていただけたらと思う。

バッティングピッチャー　背番号三桁のエースたち

目次

バッティングピッチャー　背番号三桁のエースたち

第一章　日本プロ野球史上に残る大打者に投げる

松井秀喜の恋人――読売ジャイアンツ　北野明仁

無念のリタイア

巨人の元打撃投手、北野明仁を人は「もっともきれいな投げ方をする打撃投手」と言う。同時に彼をプロ意識の高い打撃投手という理由で、尊敬の眼差《まなざ》しで見る人も多くいる。ランク付けをすれば、西か東の横綱が北野である。

彼は毎日自分で決めたランニングを欠かさない。投げる土台である下半身を強くするために欠かせないプログラムなのである。さらに投げるときは、必ずグラブにボールを二個持って打者に投げる。彼は二個ずつ持って自分が毎日何球投げたかを記録する。それが誇りでもある。年末の契約更改のとき、一年に何球投げたかを査定の資料に出したこともある。

彼はストイックな男である。その姿が、多くの若手に共感を呼ぶ理由かもしれない。

平成二三年二月初旬の巨人軍宮崎キャンプで、尺骨神経麻痺になって打撃投手をリタイアせざるを得なくなったとき、北野は無念だと小さく呟いた。

難しかった現役からの転換

北野が打撃投手となったのは、昭和五九年である。もともとは巨人の投手だったが、腰を痛めたため、一軍での登板はない。昭和五三年にドラフト外で京都の宇治高校から入団した。同期には、後にリリーフエースとなる明治大学の鹿取義隆《かとりよしたか》がいた。

北野は引退後、二軍のサブマネージャーをしていたが、一軍打撃コーチの末次利光《すえつぐとしみつ》が、彼の確かな制球力を見て「すぐ使いたい」と言ったことが打撃投手になったきっかけだった。

現役投手と打撃投手の違い、難しさを北野は回想する。

「僕が投げるボールは、ふつうの直球がナチュラルに曲がっていました。内角へ行くとシュートに、外角へ行くとスライダーの回転で投げていたんです。素直な回転の球ではないから、打者の手元で変化する。これは打撃投手としていい球ではありません」

だが末次が北野にこう助言した。

「おまえのはそういうボールだけど加減しなくていいから思い切り放れ」

この一言に救われて北野は思い切って投げることができた。自分なりの工夫も怠らなかった。

「まっすぐが変化しても〝いいから〟とコーチに言われても、長く続けてゆくためには、本当のまっすぐを投げないといけない。自分自身で握りを変えてみたり、誰もいないネットや壁に向かって投げて修正していきました」

北野が打撃投手になって半年ほど経《た》って、打者が「いいまっすぐが来出したよ」と言ってくれるようになった。その一言が「これなら大丈夫かな」という感覚につながった。

ゴジラとの出会い

北野が打撃投手となっておよそ一〇年後の平成五年に〝超高校級〟のスラッガー松井秀喜が星稜《せいりょう》高校から入団してくる。だが北野は〝大物新人〟松井に対しては、この頃はあまり投げていなかった。

二人が〝赤い糸〟で結ばれるのは、平成七年のオフのときである。松井はこの年、本塁打も二二本打ち、打点も八〇と、プロ最高の成績を残し、翌年は四番定着も確定していた。しかし一方では、この年日本一になったヤクルトスワローズ（現東京ヤクルトスワローズ）がリーグ優勝を決めた試合の、最後の打者にもなっている。彼はその屈辱ゆえに、来年に向け心に期すものがあったのだろう。

その年のオフに熱海《あたみ》で行われた納会で、松井は突然北野の席の前で話しかけた。

「北野さん、お願いです。どうか僕のためにオフも投げてもらえないでしょうか」

すでに秋季キャンプも終わっていたが、打ち込みが足りないと思ったのか、年末も川崎市の読売ジャイアンツ球場にある室内練習場で打撃練習をやりたいというのだった。ちょうど同じ頃、若手の吉岡雄二が、オフも岡部憲章打撃投手と組んで、特打を続けることになった。その話を松井は耳にした。松井も同じ決心をしたとき、周りに「組むなら誰がいいでしょうかね」と聞いていた。そのとき関係者は北野がいいと薦めてくれたのだった。

それは関係者の多くが、北野が一人で練習している真面目さを知っており、技術的にもコントロールがまとまっていて、スピードも適度で、松井に合うのではないかと思ったからだった。

北野は松井からの申し出を二つ返事で引き受けた。さっそくその年の年末から一〇日間、朝一〇時から午後二時まで連日の特訓が行われた。メニューについては北野も関わった。とくに彼が提言したのは「バットを振る前に下半身を作ろう。下半身を作らないと、上半身でバットは振れないから」というものだった。そのため午前中の練習は徹底して走り込みを行うことになった。昼前にキャッチボールを行い、午後はティーバッティング、フリーバッティングを行った。北野は松井に対して毎日二〇〇球を投げた。

チームで行動するときは遅刻の多かった松井だが、北野と組むと遅刻がなくなった。用事があって遅れるときは、必ず事前に電話連絡をするようになった。その後、彼がメジャーに行くまで組むようになり、シーズン中だけでなく、オフの間も練習に付き添うことになった。いつしか周囲から〝松井の恋人〟と呼ばれるようになった。

オフの特打

このときの松井は、翌年は四番に座ることを見すえて、それに対応できる打撃練習を心がけた。巨人の四番打者となると相手投手の攻め方も厳しくなる。とくに激しい内角攻めが想定された。松井は、内角を確実にミートできることが課題だと考えたのである。彼は北野に言った。

「北野さん、他のボールはいいですから、僕はインサイドを意識してやるので、そこばかり投げてください」

内角打ちをマスターすると、翌年のオフには外角低目と高目を集中的に打つようになった。投げ続けるうちに、北野は松井の調子の良し悪《よあ》しも見抜けるようになった。調子の悪いときは体が小刻みに動く。その回数も多い。そして構えがしっくり来て落ち着くまで時間がかかる。同時に体も丸まってきて、全体の印象が小さくなり、正面を向くようになってしまう。

ユニフォームの「GIANTS」がマウンドの北野からはっきりと読めるときである。

「やっぱりしっくりこない分（動きが）長くなりますね。胸のマークが見えたら駄目という感じです」

と北野は言う。とくに打撃投手はマウンドから正対しているから、ネット裏にいるコーチよりもよく見える。自分から助言することはないが、松井から求められれば、

「ちょっと丸まっているから（体を）伸ばしたほうがいいよ」と言うときもある。

それが調子がよいときは、一回で自分の構えに入るから、微動だにすることはない。

「もともと大きい体ですけど、もっと大きく見えますね。バットスイングも速くなっているから、自分の目の前でバットのヘッドが見える感覚です。本当に〝ズン〟と出るような」

北野はそう分析する。

彼は松井を「ゴジ」と呼ぶ。松井は「北野さん」と言い、年齢的にも一回り上だったため兄に接するような雰囲気があった。

ある年の一二月の終わり頃だった。いつものように松井の特打に付き添っていると、松井が鼻水をしきりに擤《か》んでいる。彼は花粉症によくかかるのである。

「ゴジ、早いじゃないか。ぐずぐずどうしたんだ」

「ちょっと風邪気味で」

松井はしばらく黙っていたが、恥ずかしそうに口を開いた。

「彼女に風邪をうつされちゃいましてねえ～」

松井はふだんは見せない本音を北野の前では出していた。自分の打撃ができないときは、

「何でできないんだ！」

と悔しがる部分も隠さなかった。彼は北野と組んでから、ＭＶＰ三回、本塁打王三回、打点王三回、首位打者一回のタイトルを獲得する。そして。北野は六年ちょっと松井に投げ続けたことになる。年を追うごとに松井は体も大きくなり、スイングの速さは凄《すご》みを増していった。

ゴジラの故郷へ行く

松井がメジャーに行く平成一五年に入っても、渡米するまで日本での練習では、北野が松井に投げ続けた。ちょうど日米野球で使ったメジャーリーグのボールがあったので、松井は同じものを一〇ダースほど取り寄せていたのだった。北野はそれを松井に投げた。

メジャーリーグは日本よりも外角のストライクゾーンがボール二つほど広い。北野は意識して外へ投げ、「そこだったらストライク取られることもあるよ」と言葉を掛けた。松井が打つ、打たないは別にして、どれくらいの遠さに感じるか見極めてほしかったからだ。

日本での最後の練習の相手も北野が務めた。最後の練習のとき、松井は「本当にあり

がとうございました」と深々と頭を下げた。

以来、北野は松井と一回も会っていない。

松井が日本を離れる前年の大晦日《おおみそか》。北野は家族で松井の実家のある石川県能美《のみ》市の根上《ねあがり》を訪れた。実家にも上がらせてもらい、松井の両親と食事を共にした。そこで両親から松井の子供の頃の話を聞いた。

北野は松井の故郷を回想する。

「日本海に面して、冬ですから凄く寒かった。海も荒波でした。ゴジはそういう自然の中で伸び伸びと育てられたんだと思いました。寒いだけに家庭の温かさをとくに感じました」

それが北野にとっても松井との別れの儀式だった。彼がメジャーで最初に本塁打を打ったとき、ワールドシリーズで優勝したとき、ときおり北野はメールを打つが、松井からは、北野が送信したことを忘れた頃に、返信が来るという。巨人のことも気にかけてくれ、平成二二年も「ジャイアンツ残念でしたね。また来年頑張ってください」と書いてくれた。

北野は今もテレビ中継で松井のフォームを眺めている。

「最初のうちは苦労しているのが伝わってきました。外に流れるボールに手を出して、ゴロばかり打っていました。だけど年を追うごとに対応できています。日本ではバットを顔の前に持ってきて、そこからテイクバックを取っていましたが。メジャーに行ってからはバットのトップの位置をそれまでより奥に引いて、そこから最短で打てるようになりましたね」

北野の人生には生涯〝松井の恋人〟という呼び名がつきまとう。そう呼ばれてどんな気持ちがするかと聞くと、彼は表情を崩した。

「まあ照れ臭いというのは事実で（笑）。でも打撃投手冥利《みょうり》に尽きると思います。他にも打撃投手はいる中で僕を選んでくれた。本当に嬉《うれ》しかったですね。松井の相手をやりたくてもやれない人もいますから。松井に限らず選手たちがかけてくれる〝ありがとうございます〟という言葉一つは何ものにも代えがたいです。それで一年投げたことが報われます」

苦しかった落合の相手

北野は、松井に限らず、他の選手たちにも投げ続けた。毎日打者四人に対して合計一二〇球を投げた。二〇代で打撃投手になり、気がつけば四九歳になっていた。

途中イップスになりかけたときもあった。平成六年に中日ドラゴンズから落合博満が移籍してきたとき、北野が打撃投手を務めた。落合はキャンプの初旬は山なりの緩いボールを打撃投手に要求する。それをじっくりと引き付けてミートすることで、自分のフォームを固めていくのだ。だが北野は、このボールを投げるのに苦労した。山なりのボールでストライクゾーンに投げるのは至難の業《わざ》だったのだ。しかも投球モーションもいつもよりゆったりとしたものになってしまう。たちまちリズムを崩してしまった。

春季キャンプからオープン戦の途中まではなんとか相手を務めることができたが、いつしか右腕が固まってしまっていた。次第にキャッチボールも満足にできなくなり、低く投げようとすればバウンドし、高く投げようとすればとんでもない暴投になる。投げる寸前も、

「右足が前だっけ？　左足が前だっけ？」

そんなことを考えると、足も出なくなった。イップスの症状だった。落合も心配して、

「もう止《や》めておけ、おまえが潰れてしまう」

と言って別の投手に代わらせた。克服するために「俺はこんなんじゃないんだ」と自分に言い聞かせながら、かつての自分のいい状態を思い浮かべるようにして、イメージトレーニングを重ねると、ゆるやかに元に戻った。二七年の間にはそんな苦労もあった。いつしか五〇代になろうとしていた。

「気持ち的には若いままでやっているんです。年々衰えがあっても若いときの感覚でやりたいので、練習の前に最低三〇分は走ることを心がけていました。第一に自己管理を徹底させること、第二に主役はバッターですから、その人のリズムに合わせて投げてや

ること。タイミングを狂わせないように考えていました」

北野は、平成二三年二月に静かにボールを置いた。引退した今でも右手小指と薬指が痺れている。

松井には連絡を入れたが、まだ返事はない。忘れた頃に来るだろうと北野は思っている。

北野を打撃投手として支え続けたひとつに、長嶋茂雄の言葉があった。

「選手として成績は残せなかったが、打撃投手として一流になれ」

その言葉を胸に秘めながら、北野は投げ続けてきたのだった。

番長・清原和博の恋人——元読売ジャイアンツ　田子譲治

清原に打たれた本塁打

元巨人の清原和博の打撃投手を務めた田《た》子譲治《ごじょうじ》には忘れられない思い出がある。あれは、清原が巨人を去ることになった平成一七年の夏だった。彼は膝の故障のため、室内練習場で田子を相手に特打をする日々が続いていた。このとき鋭いライナーが田子の右肩を襲ったのである。周囲にいた人たちは目を伏せた。

田子も瞬間右肩を押さえる。打席にいた清原が驚いて駆け寄った。

「田子さん大丈夫？」

「大丈夫だよ」

彼はボールを拾うと、平然と投球モーションに入ろうとした。このとき清原は呟いた。

「俺の打球が当たってすぐに投げられるのは、ショックだよ」

清原は苦笑し、周囲も釣られて笑ったが、この光景が田子には焼きついている。

この年、清原はシーズン終了を待たずに、球団から戦力外通告を受けた。翌平成一八年はオリックス・バファローズに移籍するが、清原にとって辛《つら》い一年だったはずだ。その思いは彼の恋人と呼ばれた田子にとっても同じだった。

田子と清原の付き合いはとても古い。田子がロッテオリオンズ（現千葉ロッテマリーンズ）の投手だった時代に遡る。

田子は昭和五六年にドラフト二位でロッテに指名され入団する。しかしプロ一年目で肩を壊した。一軍に定着し、初勝利を挙げるのが五年目の昭和六一年九月だった。ちょうど西武ライオンズにはルーキーの清原がいた。

この年の一〇月七日、川崎球場で行われた西武戦で、田子は先発した。この日まで清原の打った本塁打は三〇本。あと一本で大洋（現横浜ＤｅＮＡベイスターズ）の桑田武《くわたたけし》が記録した新人最多本塁打記録に並ぶことになる。

田子は清原に対して、それまでの二打席をショートライナー、ショートゴロと凡退させていた。スコアは五対四でロッテが勝っている。すでに六回表となり、勝利投手の権利も持っていた。打席にはこの日初めて四番にすわった清原が立った。

田子は回想する。

「キヨの弱点はわからなかったんです。どのコースも打っていましたからね。ただホームベースから離れて立っていたから、内角で上体を起こして、外で攻めようと思いました」

カウントはフルカウントとなった。田子が勝負球となるカーブを外角に投げようとしたとき、間違って内角に入ってしまった。この球を清原は見逃さなかった。彼は一度体の動きを止めると、そこで力を貯《た》めて、右手ですくうようにボールをバットにミートさせる。バットのヘッドを返さないまま、上手《うま》く乗せた打球はレフトポール上空を舞う本塁打になった。新人離れした打撃術だった。同点のソロ本塁打。さらには新人最多本塁打記録に並ぶ一打だった。もうひとつ言えば、田子から勝利投手の権利を奪う一打にもなった。

「恐怖感なんてなかったですよ。まだ高校出立てでしたからね。ただ打たれたら嫌だなとは思いましたけど。キヨは覚えているかな。でも自分の記録の日だから覚えているでしょう」

田子は、その後肘を痛め、平成二年に引退した。九年間のプロ生活では一三試合登板、二勝二敗、防御率は五・五九だった。彼が第二の人生に選んだのは、打撃投手だった。それも自分のいた球団ではない。球界の盟主読売巨人軍である。年俸はロッテを辞めるときよりも五〇万円アップして、四八〇万円（推定）になった。

「田子さん、僕に投げてくれませんか」

打撃投手は、自分が現役時代に所属した球団で投げ続けることが多い。しかし田子の場合、ロッテでコーチ補佐をやっていた小俣《おまた》進《すすむ》の口利きで巨人に移籍することになったのだ。小俣は巨人出身で、球団に人脈もあり、当時監督だった藤《ふじ》田《た》元《もと》司《し》に話をしてくれたのである。

「何をしようかなと考えていましたから、打撃投手になるのに葛藤はありませんでした。巨人だし、野球もできるということで。自分で言うのもなんですが打ちやすい投げ方をしていたと思いますね」

ただ、自分の出身球団ではない。ましてや人気選手の多い巨人である。最初のうちは、現役を引退したばかりなので、ストライクも簡単に入ったが、相手に気を遣いだすと、辛さを感じるようになった。

「巨人というプレッシャーは途中から感じるようになりました。自分が生え抜きだったら、〝何で打てねえんだよ〟とか上から目線で投げられます。それが他球団ではできない。打たせてあげないといけないと思うようになってから、きつかったですね」

肩が痛いとき、体力が落ちて疲れたとき、調子は落ちる。それでも相手に打ってもらえるように投げなければならない。そう考えると、投げる球が散らばる。フォームもぎくしゃくする。当然精神的に疲労感を覚える。フォームに癖がついて修正がきかなくなる。

「だから打たせようと思わずに投げたほうがいい」

と田子は言う。そう考えて、彼は危機を脱した。田子は、グアムキャンプでルーキーの松井秀喜に投げたこともある。松井のプロ初めての打撃練習で、報道陣もグラウンドに集まった。見事に柵越えを打たれて安堵《あんど》した記憶がある。松井が打てないと大物新人のお披露目が台無しになってしまうからだ。日本の経済もバブル期を迎えていた。ある年は一〇〇万円ベースアップしたときもあった。やがて田子の年俸も一〇〇〇万円を超えていた。とくに巨人は打撃投手の待遇が良かった。その分査定も厳しく、力がなければば容赦なく二軍で投げることになる。チームが打撃投手をいかに大事にしているかの証拠だった。

　さて、平成九年になると清原がＦＡ宣言をして、巨人に移籍してくる。田子はそれまで石井浩郎《いしいひろお》、広沢克己《ひろさわかつみ》、清水隆行などの主力選手に投げていたが、とくに打撃投手として清原との接点はない。平成一一年に清原は死球で左手を亀裂骨折、クロスプレーの際に右足靭帯《じんたい》を負傷。出場試合数は八六試合、成績は二割三分六厘、一三本塁打、四六打点という不本意な成績に終わった。中日ドラゴンズに優勝をさらわれたため清原は、渡《わた》邉恒雄《なべつねお》オーナーから戦犯的な扱いを受けた。このオフ一念発起した清原はアメリカに渡り、肉体改造を行った。彼の体重は増え、プロレスラーのような隆々とした肉体になった。しかしキャンプでは肉離れを起こし、肉体改造の効果は出なかった。以後、たびたび故障に苦しむ年が続いた。

　そんな中で田子と清原は再び出会う。

　平成一三年のシーズンの途中である。この年、清原は開幕から怪我もなく打ち続けていたが、あるとき当たりがばったり止まった。そんなとき東京ドームの風呂に田子が入っていると、清原がやってきた。彼は突然田子に話しかけた。打撃投手は打者の打撃練習の順番によって投げる順も変わる。最初は若手選手、次に中堅選手、最後は主力打者が打ってゆく。清原は田子が誰に投げているか知らなかった。

「田子さんは、どの順番で投げてるの？」

「最初のほうだけど」

「一回僕に投げてくれませんか。早くないゆっくりしたモーションでお願いしたいんです」

その後、三日間、田子は清原の特打に投げた。チームの練習前に行う早出特打である。そこで田子は毎日一五〇球を投げた。その翌日、止まっていた清原に当たりが出た。彼はヒーローインタビューでこう答えた。

「僕のためにいちばん付き合ってくれた田子さんに感謝したい。僕は田子さんのためにも打ちたかったんです」

清原との恋人関係の始まりだった。なぜ清原は田子に目をつけたのか。

「キヨに合いそうな緩い球を投げていたのが、理由だったのでしょう。僕はゆったりしてボールを投げますからね。〝いい球投げろや〟なんて言われたこともない。恐怖感もないです。味方ですから（笑）」

だが田子の目には清原がなぜ調子を落としているかわからなかった。

「投げていても調子が悪いとは思えませんでした。打撃練習では遅い球を打つわけですから、それを見抜くのは私たちには難しい。スタンドにぽんぽん打球が行っているというのはわかります。しかしキヨの微妙な技術的な変化は投げているときには見えません。どうしようもなく悪いときは当たりでわかるときはありますが」

清原が内角に弱いというのは、野球関係者の一致した見方だが、田子によるとそうでもないという。彼の投げる球であれば、清原は内角でも鋭い当たりを飛ばしていた。ただ速い球が来たときには、差し込まれるときもあったようだ。その原因は太ったからだ、というのが彼の分析である。若いときの清原はどのコースもまんべんなく打つことができた。

「田子さん、自分ってやりづらいですか？」

清原は田子と組んだ平成一三年には、打率二割九分八厘、本塁打二九、打点一二一と好成績を残した。とくに打点は自己ベストで、最後までタイトル争いに加わった。以来、清原は田子の球を好んで打つようになる。シーズンやキャンプなどの特打で田子は清原に投げた。とくに引退近くになって、清原が脚、膝の故障に悩まされるようになると二人の絆《きずな》は強いものとなった。故障のたびに室内練習場で、田子が打撃練習の相手を務めるようになったからである。

一時期、田子も調子を崩したときがある。平成一三年頃だった。キャンプで清原に投げたときだった。球が散らばってしまい、ストライクが入らなかった。このとき桑田真《くわたま》澄《すみ》に、どうしたら精神的に強くなるのか問うたことがあった。桑田は精神修養に力を入れていたから、聞いてみたのだ。そのことを桑田が清原に伝えた。

「田子さん、キヨに上手く投げられずに気にしてるみたいだよ」

その翌日、清原が真面目な顔で田子の元にやってきた。

「田子さん、自分ってやりづらいですか？」

「いや別に」

「桑田にどうしたら精神的に強くなるか聞かれたそうじゃないですか。僕にはふつうでいいですから、ふつうで」

清原の繊細な一面を垣間見た瞬間である。

翌平成一四年、清原は開幕から好調だったが、再び左太腿《ふともも》肉離れにより戦線離脱。二軍での調整も増えた。とくに七月三〇日から登録抹消されてジャイアンツ球場でのリハビリ生活が始まった。フリー打撃ができるようになったのは九月に入ってからだ。その間、田子はひたすら清原に投げ続けた。

清原の状態もよくなり、明日から一軍という日、清原は田子に言った。

「明日から一軍です。田子さん、本当にありがとうございました」

この日は三〇分の走りこみの後、田子の投げるボールを七三スイングすると、そのうち二三本がスタンドインした。チームのトレーナー、理学療法士が見守る中、復活をアピールした清原は、打撃練習が終わると、マウンドの田子の元へ歩き出した。田子も、清原に近づいてゆく。どちらからともなく右手を差し出し、二人は固く手を握り合った。

そんな二人の写真が「報知新聞」の紙面を飾った。田子の背番号「１２１」が清原と握手する。清原も満面の笑みをたたえていた。

その後清原は故障に苦しみ成績は年々下降した。最後の年は、打撃練習も前の順番で打つようになる。打撃練習では、主力選手は、最後のほうで打つ。だが、清原は代打選手に交じって前のほうで打つことが多くなった。

そんな清原の心境はどうだったのだろうか。田子は慮《おもんぱか》る。

「当時の堀内監督とのやりとりはわかりません。ただ自分のプライドを傷つけられたというのは聞こえてきました。打順が四番じゃないとか。打撃練習も最初のほうに打たされるとか。レギュラー組の最後に打つのが主力打者です。それが前に来ると引退が近いのですね。原監督も引退直前は前で打っていましたから。そんな葛藤はあったんじゃないですか」

「最後にもう一回田子さんの球を打ちたい」

その年のシーズン、清原はぽつりと田子の前で呟いた。

「もう終わりだよ」

ちょうど契約も切れる年だった。清原自身もそろそろだと思い始めていたようだ。だが足を痛めていても、田子の目から清原の打球は変わらなかった。ただ「右に飛ばなくなったなあ」と感じるようにはなった。

巨人を去ることになったとき、彼は田子に言った。

「最後にもう一回田子さんの球を打ちたい」

彼は涙が出るほど嬉しかった。結局、清原の足は思わしくなく打撃練習は実現しなかったが、彼の言葉はいつまでも残った。田子は今でも思い出すエピソードがある。

自分の父親の葬儀のときである。

平成一八年に父親が亡くなったとき、巨人軍から大きな花束が届けられたが、選手からは「選手会一同」という形で届けられた。その中に交じって一つだけ花束が別に届けられた。そこには「清原和博」と書かれてあった。清原とはそんな心遣いをする人間だった。

清原はすでに巨人を去っていたが、きちんと田子を覚えていてくれたのだった。

そんな清原との出会いは、田子にとってどんな重さを占めるのだろうか。

「清原の恋人と呼ばれて、絶対に悪い気はしないですね。僕という存在はキヨにとって記録でも記憶でも残る人間だったと思います。新人最多本塁打タイ記録も打たれたし、清原の恋人と呼んでももらった。キヨに両方与えてもらったし、スーパースターに関われたことは野球人としては嬉しいですね」

田子は決して心臓の強い人間ではなかった。毎日がいい精神状態の日ばかりではない。それでも、打者から舌打ちされても耐えられるだけの我慢強さを持っていた。それが打撃投手を一九年間続けることができた要因であると考えている。

田子は打撃投手として大事な条件を挙げてくれた。

「精神的な強さが第一ですね。我関せずで投げられる人物です。精神的な比重が技術よりも大きいですね。同じ球を投げるにしても〝打ってくださいこの球〟よりも〝何で打てねえのかこの球〟と思いながら投げる投手のほうが大事だと思います」

彼の同僚にもイップスにかかって、

「ストライクが投げられないから、今日は代わってくれ」

と頼む打撃投手もいた。しかし田子は弱気のときでも、逃げなかった。

「僕は投げろと言われたらいつでも投げました。今日はボールが思いどおりに投げられないと気にするような、責任感の強すぎる人はイップスになりますね」

田子は再度、技術力よりも精神力を強調した。

右肩が飛ぶ

清原が去ってからも田子は投げ続けた。平成二一年の夏である。一週間ほど右の肩に違和感があった。痛さとも違う。痺れた感覚で力が入らなかった。痛み止めのボルタレンを飲んで誤魔化す日が続く。東京ドームでの練習の日、田子の言葉を借りると「肩がメリメリという感じがした」ので、ボルタレンも強い薬に変え、座薬も入れた。薬の副作用のためか、右腕が自分の胸のど真ん中にあるような感覚だった。打撃練習相手は若手の加藤健《かとうけん》だった。投げた瞬間、右肩が飛んだ気がした。スコーンという音がしたように感じた。脱臼だった。

ベンチに戻ってグローブを取ろうと、右腕を動かそうとしたが、もう言うことを聞いてくれなかった。こうして打撃投手人生は終わりを告げた。

すでに国内の大不況もあって、どこの球団の財政も厳しくなった。スコアラーなど他の職種に残る道もなかった。田子はその年限りで野球界から足を洗い、ベンチャービジネスを経験した後、現在はイベントの企画運営や地域の中小企業の支援を行う事業を立ち上げた。

「最終的にはかみさんとゆっくり暮らしたいですね。どこでもいいです。時間を気にしないで暮らしたいですね」

彼はしみじみと呟いた。

イチローの恋人——元オリックス・ブルーウェーブ　奥村幸治

二年ぶりの再会

平成一二年八月一七日、かつてオリックス・ブルーウェーブ（当時）でイチローの打撃投手を務めていた奥村幸治は、ボルチモアにある球場に足を踏み入れた。この日はここでオリオールズとマリナーズが対戦する。この月にメリーランド州で世界少年野球大会が行われることになり、日本代表チームを率いる奥村は監督として来たのである。

球場ではマリナーズの打撃練習が行われており、イチローも打撃練習に打ち込んでいた。一段落したとき、同行した星野仙一がイチローに話しかけた。

「イチロー後ろを見てみい」

イチローは奥村を見ると、「あっ」と大きな声を出して、指差した。そしていつも会うたびに発する言葉をイチローは口にした。

「奥村さん相変わらず小さいですねえ。真っ黒ですねえ」

イチローとは二年ぶりの再会だった。奥村は一七〇センチに満たない身長で、肌の色は日焼けしたように黒い。イチローはそのことを言ったのだ。

奥村幸治はプロ野球出身ではない。兵庫県市立尼崎《あまがさき》高校から社会人を経て、打撃投手としてオリックスに入団した変わり種だった。平成五年から二年間オリックスに所属し、イチローの打撃投手を務めた。イチローの信頼が厚く、「イチローの恋人」と呼ばれた。その後、本来の夢であるプロ野球選手になるため、他球団の入団テストを受験した。残念ながら、あと一歩力が及ばず、プロ球団へ入団はできなかったが、オリックス、阪神タイガース、西武ライオンズの打撃投手を経て、平成一一年にボーイズリーグの「宝塚ボーイズ」を結成、監督となった。教え子に東北楽天ゴールデンイーグルスで活躍する田中将大がいる。

奥村は高校時代は一四〇キロを投げ、スライダーを武器にする投手だった。だが体が小さいためにドラフト指名は見送られた。しかし念願はプロ野球選手になること、それがなぜ打撃投手になったのか。奥村はその胸中を語る。

「じつはオリックスの入団テストを受けて最終選考まで残ったのですが、落ちてしまいました。でも打撃投手の枠が空いていた。そこでとにかくプロの世界でやって、ここから選手に上がっていこうと思ったわけです」

「こいつ誰？」

オリックスに入団すると、二月一日から沖縄・宮古島でのキャンプが始まった。前日の一月三一日に奥村は選手とともに宮古島の宿舎に入った。「こいつ誰？」という目で見られていたという。その夜宿舎で皆に挨拶をして、ようやく顔を覚えてもらえた。同室には四〇代のベテラン打撃投手がいた。奥村は先輩打撃投手に、マッサージなどを行うこともあった。

奥村は緊張の日々が続いた。

「打撃投手でもかつて一軍で何勝もされた方もいて〝この人テレビで観《み》てる〟みたいな人がいるわけです。キャンプ初日から有名な選手ばっかりじゃないですか。こんな人にいきなり投げるのは苦しいものがありました」

ただ選手たちが彼を助けてくれた。それが彼の救いになった。

「オリックスの選手は、僕がボール球が二球くらい続くと、次からは少々ボール球でも打ってくれたんですね。それを打ってくれると投手もすごい楽で、自分のリズムになるのですね。福良淳一《ふくらじゅんいち》さんや石嶺和彦《いしみねかずひこ》さんがそうでした。逆に打者のレベルが低いと、ストライクゾーンに入ってくるボールも打ってくれない。そうなると〝なんでなの？〟みたいに追い込まれてしまう」

打撃投手は、マウンドのプレートよりも一メートル前から投げる。ところがオリックスは初代監督の上田利治《うえだとしはる》の方針もあって、打撃投手もプレートのある正規の位置から投げなければならなかった。投手との距離の感覚を打者に大事にさせたいためだった。それは常時ストライクを求められる打撃投手にとって至難である。それをシーズン中であれば毎日一二〇球から一五〇球投げるから、当然疲労感も増した。

イチローの殺気立った練習

奥村はオリックスの寮に入るが、隣の部屋にイチローがいた。イチロー一九歳、奥村二〇歳。同世代ということで二人は親しく話すようになった。イチローは平成五年に一度、一軍に上がり、野茂英雄からプロ初本塁打を放つものの、二軍に降格された。原因はグリップエンドの握り方を巡ってコーチと意見の食い違いがあったからである。この間にイチローは二軍コーチの河村健一郎と二人三脚で振り子打法を完成させることになる。

一方奥村は一軍選手を相手に投げる日々。イチローが一軍から去るとグラウンドでの接点がなくなった。寮に戻ると奥村はイチローの部屋を覗《のぞ》く。そこでイチローは広島東洋カープの前田智徳のような選手になりたいと口にした。

二軍時代のイチローの練習量は尋常ではなかった。チームの練習後も一人残ってマシンで打撃練習をした。奥村は「その姿は殺気立っており近寄れなかった」と語る。

翌平成六年、監督に仰木彬《おおぎあきら》が就任する。彼はイチローの打撃センスを見抜き、一軍に抜擢《ばってき》した。登録名も「鈴木一朗」から「イチロー」に変えた。五月から八月にプロ野球記録の六九試合連続出塁記録を達成する。イチローフィーバーの始まりだった。九月一四日には一九二本目のヒットを打ってシーズン最多安打記録を達成した。この年から奥村は本格的にイチローに投げた。その理由は、若い打撃投手だから若い選手に投げたほうが、意思疎通もしやすいだろうということだった。

「前の年（平成五年）もイチローは一軍に上がってきたので、そのとき投げています。でも二軍に落とされて以降は投げてない。次の一年はイチローに投げなかった日はないです。このときは振り子打法は身についていたから、打球の速さもはんぱじゃなかった。しかもすっごい飛ぶんですね。グリーンスタジアム神戸（現ほっともっとフィールド神戸）でどんだけ場外ホームランを打たれたことか。ホームランだけ打てと言われたら松井選手より打てますよ」

イチローは奥村に生きた速い球を要求した。

「イチローは試合前に生きたボールを打つと試合で楽だからと言っていました。変化球は一度もないです。速い球ほど打ちにくいものはないということでした。速い球に遅れないだけの準備をしたいということでした」

全力投球に近かったから、だいたい一三〇キロの球速は出ていたと奥村は言う。

だがイチローもときには調子が悪いときがある。奥村は徐々に彼の変化に気づくようになった。

「イチローに限らず、ほとんどのバッターって、調子が悪くなるとバットが出てこなくなるのですね。力んだり、〝打たないと〟という気持ちが強くなるのです。そうなると、自分のポイントにバットが出なくなったり、肩が開くのが早くなります。僕らが慣らしてあげるのは、ふだん一二〇キロで投げているボールを二〜三キロ遅くしてあげるんです。すると遅れているバットが合うわけですよ。合うことで、きれいに打てる感覚が戻るのですね」

打撃コーチは打者の後ろからしか見ない。打撃投手は前から見る。そのためイチローも田口壮《たぐちそう》もよく状態を聞いてきた。

「僕のような一軍の経験もない者にふつうに聞いてくれる。一流の選手は、その意見を受け入れてくれるから伸びるのでしょうね」

と奥村は言う。

「ヒット数求めていこうよ」

イチローは奥村の投げる球をまずレフトへ流していった。最初の五本をいい当たりでレフトに飛ばす。その後左中間に打って、センターへ打つ。最後にライトに引っ張るという打撃練習だった。

「それはイチローのルーティンの一つなんですね。バットコントロールと、自分のポイントを確認しているのでしょう」

と奥村は言う。イチローが打ち出すと、周囲は過剰に彼の打率を気にするようになった。「四割到達か」「日本最高打率を樹立か」そんな声の中、奥村はイチローに話しかけた。この年の四月にイチローは三〇本近くヒットを打っていた。五月は三〇本を超えた。

このときの話題は、イチローの四割近い打率が中心となり、ヒットを積み重ねてゆくことに注目が集まらなかった。しかし打率は上下するが、ヒット数は減ることはない。奥村はイチローが周囲の騒ぎから離れて、伸び伸び打てるように、そこに着眼した。

「イチロー、一ヵ月に三〇本ヒット打つの難しいの？」

「なんでですか」

「四月は二〇試合くらいで、三〇本近く打っているんだよね。五月は三〇本以上打っている」

「あ、その数字いいですね」

「それ求めていこうよ」

奥村の一言がこれまでのイチローの視点を変えた。イチローは、球場の電光掲示板に出る自分の打率を見ないようになった。打率の上下で心が動いてしまうからである。奥村の言葉で、ヒットの数だけを積み上げることに力を注ぐことになったのだ。そうやってこの年の年間安打数、二一〇本が生まれた。

年間最多安打が迫ってきたときだった。奥村も気を遣う日が多くなった。

「報道陣が凄かったですよ。僕がイチローに投げると、後ろからテレビ局全社が撮影している。ふだんどおりには投げられませんでした。毎日今日のイチローはどうだったと放送されますから、そこで思ったのは〝これは当てられないな〟ということでした。〝試合前のイチロー選手、デッドボール〟が重大ニュースになってしまう。アウトコースに投げていました」

奥村には無我夢中の日々だった。八月の終わりである。オリックスベンチにはホワイトボードが貼ってあって、選手の背番号の横に、担当する打撃投手の名前が書かれる。イチローの背番号「51」の横には奥村の「奥」と書かれる。ところがこの日は、別の打撃投手の名前が記されていた。奥村も怪訝《けげん》に思ったが「今日はイチローに投げなくていいんだ」と思った。首脳陣はたまには別の打撃投手でという配慮だったが、イチローは激怒した。

「僕は奥村さんの球を打って、今の成績があるんですから、今日は違う人だということなら、僕は打たなくていいということでしょ」

そんなやりとりがあって、その日も、奥村はふだんどおりイチローの相手をすることになった。

やがて年間最多安打記録のXデーが近づくと、他の打撃投手やコーチたちも奥村に、「おまえが責任持って投げろ」と言うようになった。理由は「もし他の打撃投手に代わってイチローに結果が出なかったら、俺らのせいになる」というものだった。

「なんてこと言うんだ」

とも思ったが、「おう、やってやろう」という自分の使命感にも繋《つな》がった。イチローが彼を放さなかったのは、一つは年代が近かったこと、だから気心も知れていたことがある。

彼自身「お兄ちゃん的存在だったかもしれませんね」と述懐する。

奥村が見たイチローの特徴は、バットがしなるということだった。鞭《むち》のようにしなってバットが出る。外角の球をフォームを崩しながら打っても、きちんと球を捉えているから、打球は凄い勢いで打撃投手目掛けて飛んでくる。打球の速さに奥村は驚くばかりだった。その速さは外国人選手を超えていた。

「イチローは体格に恵まれていない。一軍で活躍するために強い打球を打つことを考えたと思うのです。それが振り子打法だったと思います。自分の体重をボールに乗せる。そのため人よりもボール一個前でミートすることになる。遅いボールが来ると、我慢できなくてひっかけてしまうこともあるから、前の足を壁にして泳がないようにしていましたね」

それでも泳いでしまったときは、投手の足元を狙った。

「投手は内野手の中でいちばん近いので、その足元に速い打球が行けば、絶対ヒットになるから」

というのが理由だった。そんな考えに奥村は驚いた。そこまでの分析力を二〇歳の選手が持っていることに驚いた。

イチローが二〇〇本安打を達成した日、奥村は彼にケーキをプレゼントした。イチローは「ロッカーで奥村さんにもらったケーキがいちばん嬉しかった」とコメントした。

奥村は今でもイチローとの出会いに感謝する。

「僕はイチローに会っていなかったら今の自分はないので。本当に財産ですよね。この経験が今凄くプラスになっているので、やはりイチローは大きい存在です」

どうしても選手として投げたい

イチローに愛された奥村だが、平成六年限りでオリックスを去ることになった。自分は打撃投手をするためにプロ野球界に入ったのではないという思いがあったからだ。この年のオフ、彼は他球団を戦力外通告された選手たちと一緒に、阪神とヤクルトのテストを受けた。イチローも「奥村さんの球だったら大丈夫ですよ」と太鼓判を押してくれた。しかし、毎日一二〇球から一五〇球を投げていた彼の肩は限界に達していた。肩が痛くても痛み止めを飲んで挑戦した彼は、ヤクルトでは最終選考に残り、堅実なグラブ捌《さば》きから「野手として採りたい」という意見ももらったが、外国人選手を急遽《きゆうきよ》採用することになったため、彼を入れる枠がなくなっていた。プロ野球選手になる夢は絶たれた。以後、阪神タイガース、西武ライオンズの打撃投手を経て、プロ野球界から離れた。

イチローは、平成一二年限りで日本を去った。シアトル・マリナーズに入団し、新人王、首位打者、MVP、そして平成一六年にはジョージ・シスラーのシーズン安打記録を抜く二六二本というMLB記録を作ったことは周知のとおりである。

奥村はイチローの連絡先も知らないし、彼から連絡を取ることもない。イチローは過去を振り返らない選手なので、引退してからゆっくり話せたらいいなと思っている。

奥村は打撃投手の秘訣《ひけつ》を語ってくれた。

「確かにバッターのためにいい球を投げることは大前提だと思うんです。でもバッターも人なので、その人の心をうまく感じてあげたり、支えてあげたりすることのできる人が一流の打撃投手なんじゃないでしょうか。いいボールを投げられる人ってたくさんいらっしゃいますが、裏方として残る人は誠実な方が多いんですね。人間的な部分を見られていると思います。引退して裏方に徹することができる人、そういう気持ちになれるからバッターを気持ちよく打たせることができるのだと思います」

天才・前田智徳に投げる五四歳の打撃投手——広島東洋カープ　井上卓也

天才と呼ばれる所以

平成二三年七月二日、午前一一時三〇分、マツダスタジアムでは広島東洋カープの打撃練習が行われていた。マウンドには真っ黒に日焼けした中年の男が、緩いボールを打者に向かって投げている。背番号は103番。彼が井上卓也、五四歳になる球界最年長の打撃投手だ。すでに気温も三〇度を超えた。うだるような暑さにもかかわらず、彼は体全体を使って投げ続ける。

「これくらいの暑さだったら全然平気です。全力投球しても息も切れないし、まだまだ大丈夫です」

取材のとき彼が話してくれた言葉を思い出す。一七八センチ、七八キロ。どちらかといえば、がっちりした体型である。スタミナも十分な筋肉質の体から投げられる球は、いっこうにへばることもない。五分間を石井《いしい》琢朗《たくろう》に投げると、石井は軽く頭を下げて、隣の打撃ケージに移った。

マツダスタジアムには、一塁側、三塁側左右に「L字」ネットが一台ずつ置かれ、打撃ケージは二台置かれている。三塁側のネットからは、右投げの打撃投手が、一塁側のネットからは左投げの打撃投手がそれぞれ投げる。まず打者は三塁側にあるケージに入り、右投げの打撃投手を打つ。その後、一塁側のケージに移り、左利きの打撃投手を打つという仕組みである。

そのとき背番号1をつけた、中肉中背の左打者が打席に立った。彼はケージに入るとき、打撃投手に一礼をすることもなく、打席に立つと、鋭い眼《め》で井上を見つめた。無言でバットを立てて、相手を射貫《いぬ》くように見つめる。彼が天才と呼ばれる前田智徳である。打撃の技術はイチロー以上とも言われ、イチロー自身も尊敬する平成の大打者である。アキレス腱《けん》断裂という怪我に泣かされ、タイトルこそないが、前田の技術には誰もが瞠《どう》目《もく》させられている。

今までで自分の納得できる打球はと聞かれ「ファウルならあります」と答えるほど癖のある打者である。

このとき井上は、一息入れて間を置くと、大きくノーワインドアップで構え、全力で速球を投げ始めた。体全体を使って投げる彼の球は、これが五〇代の半ばかと思われるほど速かった。天才打者に勝負を挑むベテラン投手の対決であった。ところが前田はトスバッティングのように軽くバットを出すと、打球はセンター前へライナーで飛んだ。井上は真っ向から速球を投げる。それをいとも簡単に、計算したように、ライトフェンス直撃のライナー、ライト線いっぱいのライナーと次々と打ってゆく。五球目だった。前田の打球の角度がやや高く上がった。その打球は糸を引くように、一本の線となってライトスタンドに消えた。この間井上の球は一球もストライクゾーンを外れることはなかった。その球を前田は一本も打ち損じることなくヒット性の当たりを連発した。

このとき前田が天才と呼ばれる所以《ゆえん》を垣間見た。前の打席の石井もいい当たりを飛ばしていたが、いくつかは内野ゴロ、外野フライと詰まった打球もあった。だが前田の当たりは、すべてが鋭いライナーである。これだけきれいに打ってくれれば井上も気持ちがよいだろう。その一方で、ムキになって全力で投げる井上の意地も伝わってきた。その直後だった。前田は、微動もせずに球を二球続けて見逃した。振る素振りも見せない。

高さはストライクゾーンに入っている。コースが外れたか、さすがの彼も見逃したか、真相は不明だ。

三球目から前田は再び打ち出し、今度は左中間へライナー、一、二塁間へ痛烈なゴロを飛ばし、広角に打ち分けた。五分間を打ち続けると、彼は黙って隣のケージに移った。

井上は、次の若手二人に投げると、マウンドを降りた。若手の二人は、ヘルメットを取って、井上に深々と礼をした。彼は汗を少し拭いながら、しっかりとした足取りで一塁ベンチに戻る。これで広島の打撃練習は終了した。今日投げた時間は二〇分。球数は一二〇球であった。

井上はタオルで汗を拭きながら、球場のミーティング室に現れた。さすがに一〇〇球以上も投げたからか、顔からは拭いても汗が流れ出る。しかし気持ちよさそうに首筋にタオルを当てると、白い歯を見せた。やはり夏は好きな証拠だろう。

「わしは、肘とか柔らかくして投げるタイプじゃないからね。体全体を使って投げるのが自分の投げ方だから。そのためには走りこんだり、ウエイトトレーニングもしています」

彼は、少し息を弾ませながら、部屋の壁を見つめていた。

「あれだけリズムに乗って打てたら、前田さんもさぞ気持ちいいでしょう」

と問いかけたときだった。彼は小さく頷《うなず》いて、こう語った。

「じつはね、前田は打つたびに〝チェッ！〟とか〝クソッ！〟とか声を出しながら打っていたんですよ。あの打球でも満足してないのですよ。自分に対して怒っていたんでしょう」

このとき耳を疑った。左右に自在に鋭いライナーを打ちながら、それでもあの打球に自分では納得しないという。今日の練習でもすべての打者の打撃を見たが、前田の当りは飛びぬけていた。すべてがヒット性の打球で、凡打がなかった。それでも彼は不満なのだ。

今日の打撃練習で前田は二球、球を見逃した。というより打とうとしなかった。

「あれはコースが外れたのですか」

そう問いかけると、井上はきっぱりと「コース、高さもストライクでした」と言った。

ではなぜ彼ほどの打者が手が出なかったのか。

前田は五分間の打撃練習で、最初は速球を投げてもらい、打ってゆくが、途中から変化球を要求し、速球と織り交ぜた中で練習を行う。このときフォークボールは、彼は球筋を見るだけで打たないのだという。どこで落ちるか、その変化を目で確認すれば、それでいいのである。

「それが彼の練習なのですよ」

ここにも前田の天才ぶりが隠されていた。

若い打撃投手が前田の相手を務めるときもあった。だが前田は練習のたびに、自分に対する怒りを声に出してしまう。それだけで若い投手は怖気《おじけ》づいてしまった。

「ゴーさん、若い者行かすと、イップスになってしまうから、前田の相手をお願いできますか」

と打撃コーチに頼まれた。今の広島の打撃コーチは町田公二郎と浅井樹《あさいいつき》の二人。町田は四一歳、浅井は三九歳と、井上よりも一〇歳以上も年下だ。井上は、コーチからの打診に、二つ返事で答えた。

「ええよ、わしはいつでも」

そうしているうちに、前田の相手をする期間が長くなってしまった。

〝ゴーさん〟とは井上のニックネームだ。彼の現役時代の背番号から来ている。彼は現役の頃は「53」を付けていた。この数字をもじって「ゴー・サン」と呼ばれるようになったのだ。

「わしは年長者やし、声に出されても気にはしない。自分は関係ない、そう言うたらおかしいけど、自分の仕事だと思ってやっているから。最終的に気持ちよく試合に入ってもらえればいいから」

前田は独特の練習方法をとる。彼は打撃投手に全力投球を指示する。速い球をテンポよく打ちたい。その時間は五分。その間の抜群の集中力の高さは彼の特徴である。

「あれだけの打球を打っても、本人はもっと上手に打てるはずだと思っているわけです」

井上は、さきほどの練習をそう分析してくれた。

広島市民球場と同級生

井上は昭和三二年愛媛県に生まれた。この年の七月には広島市民球場がナイター設備とともに完成している。彼は広島市民球場と同い年ということになる。

彼は三瓶《みかめ》高校から国士舘大学に進み、社会人の山本鋼材を経て、昭和五四年にドラフト外で広島に入団している。同期には、ドラフト一位の片岡光宏《かたおかみつひろ》、チャンスに滅法強い長嶋清幸がいる。彼の入団した一年目は、広島が二年続けて日本一になった年で、投手陣も北別府学《きたべつぷまなぶ》、大野豊、池谷公二郎《いけがやこうじろう》という錚々《そうそう》たる布陣だった。投手王国広島と畏怖されたチームに、井上の出る幕はなかった。

「とてもじゃないが、自分の力ではそういう活躍は難しかった」

彼はそう呟いた。二軍で黙々と投げる彼に一軍での登板が巡ってきたのは、入団三年目、九月の下旬だった。すでにチームの順位も決まり、残り一〇試合という消化試合の中、彼にチャンスが巡ってきた。早い回で先発投手がノックアウトされ、井上にマウンドが回ってきたのである。打者一一人、三回を投げて二本のヒットを打たれたが、無失点に抑えた。

それが公式記録のすべてである。

とくに怪我もしなかったが、昭和五九年、プロ五年目で戦力外通告を受けた。このとき球団から打撃投手をやってみないかと打診された。それが以後二七年間投げ続けるきっかけになった。このとき背番号は68番に変わった。二七歳の秋だった。

この頃の広島の打撃投手には、左腕の佐藤玖光《さとうくにみつ》、佐伯和司《さえきかずし》など四人しかいなかった。本拠地での練習には二軍の若手投手が手伝った。当時の主力選手は、山本浩二、衣笠祥《きぬがささち》雄《お》、高橋慶彦《たかはしよしひこ》、昭和の末期、常に巨人と覇権を争った黄金時代のメンバーである。現在のように一〇人前後の打撃投手がいるわけではない。そのため、新参者でもいきなり主力選手に投げる機会も多かった。とくに緊張したのは衣笠だった。この頃、彼は連続試合出場記録を続けていて、世界記録であるルー・ゲーリッグ（ニューヨーク・ヤンキース）の二一三〇試合も視野に入っていたときだった。

衣笠は打撃練習でもつねにスタンドに入れたいタイプの選手だった。もともと馬力もある。井上の球を思い切り振って、本塁打を飛ばそうとした。そのため彼には、打ちやすい内角寄りの真ん中の球を要求した。だがこれが井上には勇気のいることだった。ボールをぶつけることで怪我をさせてはならない。

「連続試合がかかっているじゃないですか。当てて怪我させられないから、なかなか内側には放れなくてね。後楽園球場で練習すると、あそこは狭いからよけいに本塁打を狙いたくなるのですね。〝インコースくれ〟とよく言われました」

衣笠は昭和六二年六月一三日の中日ドラゴンズ戦で連続試合出場が二一三一試合に到達し、それまでルー・ゲーリッグが保持していた世界記録を更新した。

井上は当時を振り返る。

「やはり大スターを相手にするから凄いプレッシャーがありました。最初はびびっていましたよ。それとボールを当てないことに注意しました。それとこの世界は毎日投げますから、今日はよいけど、明日は駄目じゃ通用しません。いかに調子の波を作らないようにするか気を遣いました。それと打者との信頼関係もあります」

ただストライクを投げればいいというものでもない。素直なボールが大事なのである。それに現役のときの感覚で毎日放っていたら肩も持たない。井上は一年のうちで打撃投手の投げ方がわかっていった。

当時の打撃投手は四人で回していくから、当然今よりも投げる球数は多くなる。一人二五分は投げていた。

驚いたバースの打球

昭和六〇年頃、井上はもっとも印象に残る打者と巡り合った。それは広島の選手ではない。阪神タイガースの主砲ランディ・バースである。アメリカ時代「ニューヨークからロスまで飛ばす男」と呼ばれた彼は、昭和六〇年、六一年と二年連続で三冠王を獲得した。とくに昭和六〇年には王貞治の本塁打記録五五本に迫る五四本を打って、阪神の日本一に貢献した。

昭和六一年のオールスターゲーム第三戦は、七月二二日に広島市民球場で行われた。このときセ・リーグの出場選手のために井上ら広島の打撃投手が相手を務めることになった。バースは井上の球をすべて広島球場のライトスタンド場外まで運んだ。それだけでも観客の度肝を抜いたが、他の選手たちの練習が終わったとき、バースはもう一度打たせてくれと井上の元にやってきた。急遽彼の特打が始まったが、選手、観客皆がバースに注目した。

バースは、まずライトスタンドの場外に運ぶと、次はレフトに流すように再び場外に本塁打を打った。左右に場外本塁打を打ち分ける打者は初めてだった。彼の打撃投手人生での大きな思い出である。

自分の感覚と投げたボールが違う

二〇代だった井上も、四〇代になった。彼も次第に体力の衰えを感じるようになった。それまではどれだけ投げても体は自由に動くし、疲れても自然に回復した。ところが四〇歳の声を聞いたときに、しんどさを感じるようになった。それは投げる球に表れた。自分が球をリリースした瞬間、この速さで、このコースに決まるだろうというイメージがある。ところが自分の感覚よりもコースがずれてしまったり、速さも違っていたりする。しっかりと指に掛かっているのに、コースが違って、打者が泳ぐような打ち方をすることもあった。

昔はキャンプで三〇分投げてもきついと思わなかった。だが今は疲労の度合いも違う。

「若いときって、ほっといても球が行くと思うのですよ。四〇歳までは選手のときの財産を使うような感じで、自分もそんなに体を鍛えなくてもできたから。四〇歳を超えてずれが出てきた。もう一年でも長くと思ったら、若いときにもう少し努力してればよかった、もっと早く気づいていれば、とも思いますね」

現在は鍛えても体力が向上することはない。むしろ落ちてゆく度合いをいかに少なくするか工夫をこらす。マツダスタジアムでの練習は午後一時五〇分開始である。彼は一時間前に球場にやってきて、ウォーキングや筋力トレーニングを欠かさない。練習が始まると、ティー打撃でトスを上げたり、ノックの手伝いをして体を動かすようにしている。

広島のキャンプは沖縄で始まる。ちょうど宿舎から球場まで歩けば一時間かかる。井上は集合一時間前に宿舎を出て、歩いて球場に通う。

「もうこの年になるときついランニングはしませんから。まあ呑《の》むのは大好きなんで、人一倍汗を流すということでしょうか。一汗、二汗かいて、それから投げます」

井上は笑った。

打者との信頼関係

井上の担当は主にベテランと呼ばれる選手たちだ。彼らは打撃練習の最後に打つ。いわば大トリである。その一人に二〇〇〇本安打を打った石井琢朗がいる。横浜ベイスターズから移籍して、今年は三年目、今でもいぶし銀の活躍で若手を引っ張っている。井上は彼が広島に来てからずっと投げ続けている。スイッチヒッターの彼は最初右打席で打つと、すぐに左打席に替わり、淡々と打つ。最初の二分間は、外寄りの球を要求し、レフトの後ろへ打ってゆく。練習の後半になると、思い切りライトに引っ張ってゆく。その姿勢はまったく変わらない。

「大事なことは人を見て投げるというわけじゃないけど、そのバッターに合った投げ方をすることですね。速いボールが好き、遅いボールが好きと、タイプを把握しておくのです」

井上は、若い選手が入ってくると、どのコースに放ってよいかわからないため、傾向のわかる前田や石井のようなベテランが投げやすいという。

「お願いします」という声が支え

広島は伝統的に練習熱心なチームである。選手にほとんど休みがないのと同様、打撃投手にも休みはない。今広島には八人の打撃投手がいる。井上が打撃投手のスケジュールを調整しているが、マツダスタジアムでは全員が投げる。ビジターでの練習のときには、練習時間は短いので、人数の調整も可能だ。甲子園球場、横浜スタジアムなどでは四人の打撃投手が投げ、室内練習場では二人が投げる。すると二人を休ませることができる。たとえば相手チームに右投手の先発が予想されるときは、ここで左投げの打撃投手を休ませる。それでも休日は一ヵ月に二〜三回だという。同時に誰に投げるという順番も彼が決める。

とくに若い打撃投手には、体調管理に目を配ることも欠かさない。

「肩とか肘とかおかしかったら早め早めに言ってこい。休んだ中で段取りを組むから」

平成一九年のオフであった。井上たち打撃投手仲間は、日頃の慰労も兼ねて、毎年ゴルフに出かけることになっている。その夜は、食事もして一年間の疲れを癒《いや》すのである。

この年は前田が二〇〇〇本安打を打った年だった。井上たちがゴルフに出かけようとすると、前田がやってきた。彼は照れ臭そうに幹事の井上に言った。

「井上さん、ありがとうございました。打撃投手の皆さんのおかげで、二〇〇〇本が打てました。どうぞこれを使ってください」

前田は頭を下げると、金一封と日本酒を渡した。

「いつもの彼だったらケージにすっと入って出ていきます。このときの彼の思いはとても嬉しかった」

同時に井上にとっても、前田、石井という大スターに放れることがモチベーションになっている。

「ゴーさん、お願いします」

コーチからそう言われると、改めて自分がチームに必要とされていることを実感する。この言葉が彼を奮い立たせ、今日も投げてよかったという気持ちにさせる。

ときに投手としての性《さが》から、前田と勝負したい気持ちにはならないのだろうか。

「勝負したい気持ちはないですよ（笑）。ただ投げていて、前田は面白いですね。打球は強いし、飛ぶからね。ぽんぽんといい当たりを打ってもらうと、投げていても気持ちがいいです」

平成二一年に第二回ワールド・ベースボール・クラシックが開催された。アメリカでの本戦を前に、日本代表候補は二月一五日から一週間宮崎でキャンプを張った。メジャーリーグからもイチローがやってきた。このとき日本の各チームから打撃投手が八人集められ、彼らに投げることになった。このとき広島からは井上が参加した。

練習は公開で行われたので、連日超満員の観客が集まった。ここで井上が投げた相手はイチローである。通常広島のキャンプではテレビカメラは数台、しかしここでは数十台のカメラが井上を取り囲んでいた。これほど注目される緊張感は今まで経験したことがない。ベテランの彼にしては珍しく、途中でイチローに三球続けてボールを投げてしまった。

一球目のボールをイチローは見送った。このとき観衆は静かにどよめいた。二球目、またしてもコースが外れ、イチローは打たなかった。さらに大きく観衆がどよめく。打撃投手にとって相当な威圧感だ。三球目、これも外れた。さらにいっそう観衆がどよめいた。

その一方で井上は、このとき使用するボールは国際球で滑りやすいことに気づいていた。ふだんの公式戦に使うものとは違うからコントロールが定まらない。他球団の打撃投手とともに国際球対策を考えた。そのとき考えたのは、濡《ぬ》れたタオルをマウンドに置き、指を濡らしながら投げる方法だった。タオルが合わない者は、松脂《まつやに》を指につけて投げた。これでコントロールも安定するようになった。

低反発球に苦労

順調そうに見えた井上も最近、イップスになりかけたときがあった。発端は、平成二三年から一軍の公式戦に導入されたミズノ社製の低反発球だった。すでに平成二二年の秋季キャンプから各球団で使用されていたが、推定飛距離は一メートル減少するという「飛ばないボール」である。このボールは今後の世界大会を視野に入れ、国際球に近づけるために採用された。ボールは牛革で作られるが、これまでは牛革のいちばん上等な部分を使っていた。新しいボールは牛革の使用部分を広げたため、革の場所によっては滑りやすい部分もある。

そのため今までのようにしっとりと湿ったボールもあれば、乾いて滑るボールもあった。なかなか制球が安定せず、彼も悩んだ。このままイップスになるのかとまで思った。

「あれで自分はもう駄目かと思いました。投げるときに、少し感覚が違ったら、ボールを投げた後のコースは予想以上に大きく違うのですから」

夢は監督を胴上げ

井上は現在も元気に投げている。彼に言わせれば、イップスを治すのには、練習しかないという。体で投げる感覚を覚えこませるしかない。

「深く考えないことがいいのかもしれんね。気持ちの強さもあるのかもしれん」

彼はゆっくりと語った。幸い、体のどこも悪いところはない。肩も肘も調子がいい。もともと体も頑丈にできている。その中で嬉しいのは、一回りも若いコーチから「ゴーさん、ここ放ってくれませんか」、あるいは二回りも若い選手から「僕はゴーさんの球を打ちたい」という指名があることである。それがある限り投げ続けていたいと思う。

「個人的な夢は優勝です。平成三年から優勝はないですから。今の野村謙二郎監督は、広島に入ったときも覚えています。いつも投げていましたから。だから今の監督とずっとやりたいという思いが強いのです。ぜひ監督を胴上げしたいですね」

野村は昭和六三年のドラフト一位で駒澤大学から入団してきた。井上の思い出に映る野村は、体は細かったが、努力を重ねて、三年目にレギュラーを勝ち取り、ベストナイン三回、盗塁王三回、最多安打三回、平成一七年には二〇〇〇本安打を達成した。井上は、入団から引退まで、野村のプロ生活をずっと共にしてきた。それだけ彼への愛着も深い。

井上と同学年の広島市民球場はその後、解体されて姿を消した。平成二一年三月に市民球場で最後の試合が行われた後、彼は一人で観客席を歩いた。彼の脳裏に平成三年の優勝が甦《よみがえ》った。あのときはグラウンドでビール掛けを行って、全員が歓喜した。彼は球場に「お疲れさん」と声をかけた。

井上はこれからの抱負を語った。

「何歳までという希望はないです。球団が決めることですから。自分がイメージする球と実際の球がこれ以上違ってくるときついでしょう。〝お願いします〟と言ってもらえる間は頑張りたいですね」

それは彼の本音である。試合開始も近づいた。今日は午後から東京ヤクルトスワローズと対戦する。試合が始まるとスコアラーの手伝いが待っている。五四歳のゴーさんに休む暇はない。

追記——井上は、平成二四年八月下旬に心臓の病で入院し、その年限りで引退した。五五歳だった。広島は、彼の引退後、平成二八年からリーグ三連覇した。

第二章　スター選手だったバッピ

かつて打撃投手には、現役時代に名を残した人は少なかった。だが現在では、一軍で活躍し、タイトルを取った投手も打撃投手にいる。なぜ彼らはあえて陰の世界で生きる道を選んだのか。そこでどのように生きる意味を見出《みいだ》しているのか。

打撃投手の仕事は、現役時代の実績はまったく関係がない。プロの投手として活躍した彼らの姿から、打撃投手の仕事の奥の深さを明らかにしてゆく。

イチローキラーだった新人王——福岡ソフトバンクホークス　渡辺秀一

イチローを一割に抑えた新人投手

平成六年九月二三日の福岡ドーム。打席にはイチロー、マウンドにはダイエーホークス（現福岡ソフトバンクホークス）の新人渡辺秀一がいた。試合はダイエーが六対〇でオリックスをリードし、七回表を迎えた。二死走者一塁。この日、彼はイチローから2

三振を奪っていた。

イチローは九月にシーズン最多安打を記録し、打率四割の期待も掛かっていた。だがこのシーズンの渡辺はイチローを打率一割台に抑えていた。渡辺は、イチローに対して非常に燃えるタイプだった。この年イチローの全打席はテレビで報道され、今日は何本ヒットを打って、打率が何割何分何厘になったと派手に扱われていた。イチローを封じると、渡辺も注目される。それが嬉しかったのである。

渡辺にイチローとの対戦について聞くと、

「恐怖感などまったくない」

と答えている。彼はスライダーを武器にして、球のキレと制球力で勝負する投手だった。まずイチローの上げた足のタイミングを崩す。そのため内角へ速球を投げ、ファウルを打たせる。ツーストライクになると、得意のスライダーを外角のボール気味へ投げて、バットを振らせた。

この日イチローは二打席とも空振りの三振を喫していた。この打席では雪辱を果たしたい場面である。しかし渡辺はいつもどおり内角へ速球を投げた。ファウルが二球続き、ツーストライクとたちまち追い込んだ。渡辺は三球目を高目のボールで遊ぼうと考え、そこへスライダーを投げた。イチローはその球を空振りした。球場が騒然となった。

「〝ふつうこんなとこで振らないだろう〟〝あ、振っちゃった〟みたいな感じでした。何かイチローらしくない三振でした」

彼はそう回想する。渡辺はこの試合完封勝利を挙げた。シーズンが終わったとき彼は八勝四敗の成績を残し、パ・リーグの新人王に選ばれている。なお、この年の渡辺対イチローの対戦成績は二二打数三安打、本塁打、打点ともにゼロ、打率一割三分六厘と完璧に封じた。そんな特技が渡辺にはあった。

どうしても球界で仕事をしたい

渡辺は神奈川大学から平成五年のドラフト一位でダイエーに入団している。このとき二位には青山学院大学の小久保裕紀《こくぼひろき》がいた。渡辺は二年目は不振、しかし三年目には九勝五敗、防御率二・五四と自己最高の成績を残した。しかし以後は怪我に泣かされ、平成一三年に引退した。二年目はイチローに打率五割七分一厘と打たれたが、三年目は二割七分三厘と抑えた。イチローに強い投手として、彼の名はホークスファンにも語り継がれている。登録名を「ヒデカズ」として投げた年もある。

渡辺が打撃投手になろうと思ったのは、ユニフォームを着て、ホークスに残って仕事をしたいと望んだからだった。背番号も現役時代の「13」から「116」に変わった。今（平成二三年）彼も四〇歳、打撃投手人生も一〇年になった。

「もう選手はいいかなと。でもチームには残りたいと思ったんです。それが打撃投手でした。裏方ですからプライドも捨てなければいけない仕事。新人王などの実績は関係なく、球団に残って仕事をしたいという気持ちが強かった」

彼が打撃投手に名乗りをあげたのは、自分のコントロールに自信があったからである。それは打撃投手としての大事な条件の一つだった。そのため打ちやすい球を投げる自信はあったし、投球フォームにも癖はないから打者は打ちやすいはずだと思った。だが打撃投手になってみて想像以上に難しさを実感した。

「速すぎても駄目、遅すぎても駄目。人によって適正な速さも違います。その打者に合わせた球を投げなければいけないから、気を遣います」

万人に打ちやすい球を投げる打撃投手は存在しない。その打者によって打ちやすい球に違いがあるからだ。速めの球を好む打者には、速い球が打ちやすい球という定義になる。遅い球が好みの打者には遅い球が、いい球となる。

「年下に投げているときは、何も考えないで投げられますが、年上の人に投げると、少しのずれでも気になります。ストライクを投げないといけないと思うとよけいに入らなくなる」

渡辺は難しさを語った。最初はとくに担当の打者もなかったが、打撃投手になった二年目から松中信彦に投げるようになった。この年（平成一五年）松中は、打率三割二分四厘、本塁打三〇本、打点一二三を挙げて、初めて打点王を獲得した。以後松中は三冠王、MVPを始めとして数々のタイトルを手中にしてゆく。渡辺は松中が栄光を駆け上る道のりとともに歩いたとも言える。

内角の絶妙な捌き

渡辺が松中の卓越した打撃技術を感じたのは、内角の球の捌き方だった。通常、内角の球を思い切り引っ張ると、ライト線に飛ぶが、ほとんどは右側に切れてファウルになる。だが松中の場合は、切れた打球が再びフェアに戻ってくる。ふつうはあり得ない打球である。

「やはり体の軸がよく回っていて、手前で引きつけて打てるからこういう打球になるのでしょう」

体から遠いところでボールを打てば、打球は右に流される。だが体の手前まで引きつけて打てば打球は切れにくい。ただそれが可能になるのはバットスイングの速さがあるからだ。

「松中はボール球であっても、だいたい芯で捉えます。ふつうの打者はボール球に手を出すと必ずどん詰まりになります。三冠王を取る打者の凄い技術だと思いました」

このとき、松中も三七歳。さすがに全盛期に比べ長打は減ったが、広角に打てる技術は健在である。彼は自分が投げた中でいちばん凄い打者は松中だと賛辞を惜しまない。

一方、渡辺は主砲の外国人打者カブレラにも投げる。彼は速い球が大好きだ。

「俺を抑えるつもりで全力で来い！」

カブレラはそう言わんばかりに、渡辺に全力投球を要求する。だが彼も現役を引退して一〇年も経っている。もう以前ほどの速さは出ない。そのため投げる位置を前にして、そこから投げる。その球をカブレラは軽々とレフトスタンドに運ぶ。

「まあ全力で投げても一二〇キロくらいでしょうけど。かなり前から投げているから結構速いはずなんですね。それをがんがん打つのですよ。飛距離も全然違いますね」

打者とのリズム

打撃投手はどこかで壁にぶつかる。たとえば打者にぶつけてしまったとき、気に病みすぎて、またぶつけるのではないかと恐怖に怯《おび》える。そうするとボールが投げられなくなる。ボール球を連発すると、ストライクを投げなければ、という重圧にとらわれて、腕が硬くなってしまう。

だが、渡辺に限ってそんな危惧は不要である。それは抜群の制球力があるからだ。彼は打者にボールをぶつけたこともなければ、打者の背後を通るボールを投げたこともない。

「自分は投げられるんだとプラス思考で考えているのがちょうどいいのですよ。〝俺、投げられないのかな〟といつも思っていると、考えすぎて投げられなくなります」

多くの打撃投手は、投げるための必要な条件として心臓の強さを挙げる。しかし渡辺は、「ここ（胸）だけでも駄目、技術がないと」と語る。

たとえば調子の悪い打者がいる。どうしたら打者の調子が上向くようになるかを考えて投げるのも打撃投手の仕事である。渡辺はまずボールをいろんなコースに散らすことで、どのコースがスムーズにバットが出るか見分ける。きちんとバットが出るコースがわかれば、そこを中心に投げる。速さも速いのがいいか、遅いのがいいか微調整しながら、である。松中のようにコースをきちんと要求する選手もいるが、若手ならば、遠慮して言わない選手もいる。

「言ってくれるほうが楽なんですけどね。今日は調子悪いから、内側お願いしますとか、速い球でお願いしますとか。言わない場合は、こちらで考えてあげます。自分のことはまったく考えていないです。打者のことしか考えていません」

打撃投手となって投げ方も現役時代と変わった。

「試合で投げるときは、球の出所を隠しながら投げます。打者に見にくくして投げます。打撃投手はそれじゃ駄目なのですね。体を開いて見やすく投げなければいけません。間をあけずにすぐに投げますから、まあ楽と言えば楽なフォームです」

とくに彼が大事にしているのは打者とのリズムである。打者とキャッチボールするようにリズムに乗って、投げて打ってを繰り返してゆくと、ボール球でも打者は気持ちよく打ってくれる。ところがお互いにリズムに乗らないと、ストライクを投げても見逃されてしまう。打者との呼吸が合っていないからである。お互いのタイミングを合わせることが必要なのである。

もうひとつが体力の維持である。投げられるだけの体力を持つことである。彼は練習で投げてから試合が始まるまでの間にウエイトトレーニングを欠かさなかった。肩の周り、肩の細かい筋肉を鍛え、練習前のランニングも続けた。夏になると海沿いの砂浜を走った。

やはり人間が投げるから、調子の悪いときもある。打者の要求するコースに思うように投げられず、ボールがばらけるときもある。自分でもおかしいなと感じるが、それ以上深刻になると、精神的に追い込まれてしまう。そんなときの克服法は、「明日になれば大丈夫」と開き直ることである。

イップスにもなったことはない。

「辛かったとか思ったことはありませんね。むしろ投げていてこの打者と対戦したいな、と考えることがありますよ。たまにね、今日は試合のない練習日だから一〇球勝負してくれたら面白いなと思うときもあります」

投手としての性《さが》が甦ってくるのだろう。むしろ彼は現役の投手として打者を見る余裕すらマウンドで持っている。ここに彼が一〇年間続けることができた要因がありそうだ。

「僕らは常に選手を思いながらやっているから、いつでも打者に気持ちよく打たせたいと思います。それができなくなったら終わりです。投げればいいというのが仕事ではないですから。プロの投手だからといって誰でもできる職業じゃないんだぞという自負はありますね」

渡辺が打撃投手になって二年目の平成一五年、ダイエーは日本シリーズを制して日本一になった。彼が現役のときもダイエーは日本一になり、リーグ優勝もしている。平成一一年と一二年である。だがこのときの彼の役割は敗戦処理。そのため嬉しさもあまりなかった。自分は何もしていないという悔しさのためである。しかし打撃投手になってからの優勝は現役のときよりも嬉しかった。チームの勝利のために投げ、その願いが報われたからだ。

「自分が投げたから打ってくれたのかわかりませんが、裏方としての仕事をきちんとやって優勝した。とても嬉しかったですね」

と彼は笑った。

平成二三年六月二四日のヤフードーム。午後から北海道日本ハムファイターズとの試合が行われる。午後二時過ぎにソフトバンクの選手がダッシュ、ランニングを始めた。ホームベースの後ろではトスバッティングをしている選手もいる。一人、二人と打撃投手がマウンドに上がる。渡辺が出てきたのは、すでに一時間以上も経過した午後三時三〇分だった。打席には松中。マウンドにいる背番号「116」の渡辺は、セットポジションから少しグラブを頭上近くまで上げると、ゆっくりと下ろして、ボールを投げ込んだ。

一本の糸を引いたような速い球だった。この球を松中は軽くバットを出すと、芯で捉え、打球はライトへライナーで飛んだ。一球高めの球を見逃すと、三球目もライトへ引っ張った。打球は一直線にスタンドへ消えた。ライト、ライト、と徹底して引っ張ると、一転して練習の後半はセンターに弾《はじ》き返す。渡辺は松中に体の正面を向け、投げる瞬間が見えるように配慮しながら投げてゆく。三塁側ベンチでは、日本ハムの選手たちが柔軟体操を始めていた。そこには今日先発予定のダルビッシュの姿もあった。

その次には背番号42の巨大な外国人選手が右打席に立った。カブレラである。帽子を後ろ向きに被《かぶ》り、バットを一度背中につける独特のフォームだ。いきなり初球をセンター前に打つ。速い打球だ。大柄な体に似合わず、センター中心に丁寧に打球を飛ばしてゆく。

途中渡辺の動きが止まり、打撃捕手のサインを覗き込んだ。小さく頷くと、彼は全力で投げた。カブレラは球威に押されたのか、ショートゴロを打った。足も高く上げ、全力投球を繰り返す。コースも低目に決まっている。最初は内野ゴロを続けていたカブレラも、慣れてきたのか、レフトフェンスへ軽々と打球を飛ばす。渡辺もさらに投げる。カブレラの前では打球はピンポン球のように外野に飛び、消えて見えなくなった。

午後三時五〇分、打撃練習は終わった。渡辺はスタッフとともにボールの箱、L字ネットなどをかたづけると、マウンドから降りた。これから日本ハムの打撃練習が始まる。

観客席には開門したのか観衆の姿が少しずつ見え始めた。時刻は四時。グラウンドは、日本ハムの選手たちでいっぱいになり、再び活気が出てきた。私はもう一度、渡辺のいたマウンドを見つめた。

一瞬だが、新人王渡辺と、強打者松中、カブレラとの対決を見た思いがした。往年の彼を知る者として二人を抑えてほしいと願ったが、彼は打たれた。だが仕事なのである。

「誰にでもできる仕事じゃないんだぞ」

彼が言った言葉が脳裏に甦った。そのときの表情がいつまでも私には残った。

平成二一年、第二回ワールド・ベースボール・クラシックで日本が優勝したが、渡辺は打撃投手としてチームに参加した。このとき巨人の主砲小笠原道大《おがさわらみちひろ》に投げる機会があった。彼は試合と違って、練習では流し打ちを主体にした。バットを短く持つと、バスター気味にコースが真ん中でも左に流す。すべて完璧に芯で捉えた強い打球だった。ただ試合では思い切り引っ張るスイングだ。練習と実戦を分け、まったく別の打ち方をする小笠原の技術に、渡辺は驚いた。

日本は大会で二連覇し、優勝の記念に選手には指輪が贈られたが、渡辺らスタッフにはそのレプリカが贈られた。レプリカではあるが、選手を陰から支えた渡辺にとっては大きな宝物である。

打撃投手から現役復帰、そしてプロ初勝利——中日ドラゴンズ　西清孝

一三年目の初勝利

平成九年四月二五日横浜スタジアムで行われた横浜（現横浜ＤｅＮＡベイスターズ）対中日の試合だった。この試合は西にとって忘れられないものになった。八回を終わって六対六の同点、九回表のマウンドには横浜の右腕西清孝がいた。このとき彼はプロ一

三年目。じつは一度横浜で打撃投手をしていた経歴の持ち主であった。そこから現役に戻り、今、一軍のマウンドにいたのである。すでに三一歳、ベテランと呼ばれる年齢である。背番号67という数字が、これまでの彼の置かれた立場を物語っていた。前年まで敗戦処理を主な仕事としていた。特別な速さはないが、球の切れで勝負する。一八〇センチ、七三キロと細身の体だが、思い切りのよさも持ち味だ。この年はシュート、スライダーも冴《さ》えて、大事な場面を任されるようになっていた。

　中日の打順は四番パウエルからだ。気の抜けない状況が続く。西はパウエルの懐を突くシュートで勝負を挑んだ。パウエルはバットの根っこで打って三塁ゴロに終わった。次の打者は五番ゴメス。力で勝負した西にバットは押され、レフトにフライが飛んだ。続く二人を出塁させたが、中村武志をショートゴロにしとめ、零点に抑えた。その裏、横浜は一死満塁とすると、犠牲フライで一点を入れてサヨナラ勝ちを収めた。この瞬間、西のプロ初勝利が決まった。

　一斉にグラウンドに飛び出した選手たちより、一歩遅れて出てきた西は、こんなとき勝ち投手はどうしたらよいのだろうと戸惑った。その後、選手たちからの握手攻めにあったが、ただ「ありがとうございます」というのが精一杯だった。報道陣の質問にも、「点が入ってくれと祈っていました」と答えるだけだった。その受け答えの姿は新人選手のような律儀さがあった。

今、西は当時の様子を振り返って言う。

「同点で登板してからのサヨナラ勝ちですから、やっと一勝したという思いはなかった。勝ったから嬉しいですが、一軍で大事な場面で投げたことがなかったので、それが嬉しかったですね」

打撃投手から中継ぎエースへ。そんなユニークな経歴は彼のほかにはいないだろう。

横浜にテスト入団

西は昭和四一年に三重県で生まれている。その後、兵庫県立東灘《ひがしなだ》高校でエースとなったが注目されず、ドラフトの話題にはならなかった。しかしプロでどうしても投げてみたい彼は、いくつかの球団の入団テストを受けた。南海ホークスに合格し、ドラフト外で入団した。昭和六〇年だった。

だが両膝の故障に悩まされて一軍で活躍できず広島にトレードされ、平成五年に解雇された。ただ西は二軍では一一勝を挙げて、ウエスタン・リーグの最多勝利投手になっている。

横浜のテストを受けて現役続行の希望を示したのも、体さえ万全であれば十分にやれるという自信があったからだ。

「このままで終わりたくない。自分には野球しかないから挑戦しよう」

ちょうど広島にいた銚子利夫《ちょうしとしお》が、この年に横浜にコーチとして移ることになり、その縁で声が掛かったのだ。テストに合格。ところがいざキャンプが始まってみると、彼に与えられた仕事は打撃投手だった。選手登録もされているのに、ひたすら打撃練習に投げる日が続く。

「あれ？　何でや？　と思いました。二軍の試合でも投げてないですから、まったく裏方さんと一緒でした。一軍のお手伝いばかりで。もちろん葛藤はありましたね」

このような状況で彼はどのようにモチベーションを保つことができたのだろうか。

「一年間は走ったりと体を鍛えました。僕は投球練習の場と考えましたから、（正規の距離である）一八・四四メートルの距離から全力に近い球を投げていました。変化球も自由に投げさせてもらいましたし、おかげでずいぶんコントロールもつきました。ただ打者には打ちにくい球だったから本当に迷惑を掛けました」

西は打撃投手を自分の投球練習の機会にしたのだった。投げる相手は畠山準《はたけやまひとし》など代打陣が多かった。彼らも西の球を文句も言わずに打ってくれた。しかも彼は平然と内角を突き、打者のバットをへし折った。打者に勝負を挑んでいたのだ。彼の創意工夫で生まれた実戦形式の練習である。これが西の馬力を作ることになった。

「あの一年間があったから、今の自分がある」

その年のシーズンも終了する頃だった。西は、球団に直訴した。

「自分は選手として来たんです。来年も打撃投手をやってくれと言われてもやりません。他の球団のテストを受けます」

その熱意に球団側は打たれ、西はオフシーズンから二軍に合流することを許された。

一軍昇格

翌平成七年、現役投手に復帰した西は二軍の試合で投げるようになった。最初は敗戦処理が多かったが、徐々に抑えを任されるようになり、二軍ながら三六試合に登板したが、打たれることはなかった。二軍の試合でも彼は必死だった。

「打たれたらもう終わりだと思っていました」

その切羽詰まった気持ちを語っている。そんなとき彼に幸運が訪れた。平成八年のシーズン中に、一軍の投手陣に風邪が流行《はや》って、病人が続出してしまった。このとき二軍で調子のよかった西が一軍に呼ばれることになった。

「タイミングがよかったのですね。一軍に上がったときは緊張よりも嬉しさがありました。そこを目標にしていたし、最後のチャンスだと思っていましたから」

彼は打撃投手から、一軍昇格を果たした。この年は敗戦処理ながら、二二試合に登板し、〇勝二敗、防御率六・一五を残した。

翌年（平成九年）、西は一軍で中継ぎとして投げまくるようになった。

横浜OBの松原誠はテレビ中継でこう語った。

「速い球を持っているわけではないし、コントロールがずば抜けていいわけでもない。でも魂のこもった球を投げる」

西が二勝目を挙げたのは八月二四日だった。この年、横浜は首位ヤクルトを追う二位に位置し、久々の好成績を挙げていた。それを牽引《けんいん》した一人が八月下旬まで四一試合で投げた西だった。横浜スタジアムでの対巨人戦。得点は二対二で、九回表に西がマウンドに上がった。先頭打者の清原和博を三振に取ったものの、ヒットとエラーなどで一死満塁のピンチに追い込まれてしまった。このとき打席には代打の切り札吉村禎章《よしむらさだあき》が入る。カウントはフルカウント。一球もボール球は許されない状況である。ここで西は内角低目のボールになるカーブを振らせて三振に取った。

「カウントは意識せずに思い切り投げた」

西の度胸満点の投球に、空振りして天を仰ぐ吉村。外野フライも打てなかった悔しさが表情に滲《にじ》んだ。この回、無得点。その裏、横浜は満塁のチャンスに駒田徳広《こまだのりひろ》がライトに犠牲フライを打って、サヨナラ勝ちを収めた。西に初勝利と同じ形で二勝目が転がり込んだ。

「勝負のかかる、ああいうところで使ってもらえて嬉しい」

と西は率直な感想を述べている。この年は五八試合に登板し、二勝二敗、防御率は二・五五と中継ぎエースの役割を見事に務めた。横浜はこの年二位になったが、その要因として西の働きが大きかった。この年、彼は契約更改で一四〇〇万アップの二四〇〇万円（いずれも推定）を勝ち取り、初めて球団と交渉らしい交渉をしたという。そのアップ分で、妻に冷蔵庫を買ってあげたいとコメントした。

だが翌年（平成一〇年）、三二歳の年、前年の登板過多もあり、成績は下降した。二二試合に投げたが、主に敗戦処理だった。チームは三八年ぶりの優勝を飾ったが貢献度は少なかった。

この翌年、西は現役を引退した。一二五試合に登板し、二勝五敗が彼の通算成績である。

「もう現役復帰はないです。一生懸命やったから」

それが最後のコメントだった。

再び打撃投手に

西が引退するとき球団はこう言った。

「来年は選手として契約はしないが、打撃投手にならないか」

この申し出に彼は喜んで打撃投手として契約した。前回のときと違って、選手たちに恩返ししたいという思いがあった。今度はプロフェッショナルとしての打撃投手である。引退した年の秋季キャンプから投げ始めたが、最初は楽だなというのが印象だった。ところがこの仕事が難しいと思うようになったのは、年が明けた春季キャンプの後半だった。

「やはり投げれば投げるほど、今まで抑えようと思っていたのが、打たそうという感覚に変わるわけですね。打者にも速い球、遅い球、高目、低目と個々に対応します。そこへ投げようとするのですが、上手くゆかない。抑えるように投げるのも、打たせるために投げるのもどちらも難しい（笑）」

その年のオープン戦の頃だった。西は主に若手選手に投げていたが、秋季キャンプで上手く投げることができたので、外国人選手のローズの相手を務めることになった。首位打者一回、打点王二回の横浜史上最高の外国人打者である。とくに平成一一年には一五三打点を記録するなど勝負強い打者だった。彼がローズに投げたとき、ボールが抜けて、ローズの頭の後ろに行ってしまった。ローズは笑って「いいよ」と言ってくれたが、西にはその球の残像がいつまでも残った。それから数日間ローズに投げると、どうしても頭の辺りにボールが抜けるようになった。

自分でもイップスになりかけたと思い苦悩した。このとき見かねた打撃コーチが、ローズの担当から外してくれた。ここで彼は調子を取り戻すことができた。

「このときずっとローズに投げていたら、駄目になっていたと思います。一球で凄く変わるというか、怖いと思いました」

西はイップスになりかけたとき、どう克服したのか。

「やはり自分で投げて自分を強くするしかない。少しおかしくてもですね。自分の体の感覚と、精神面で克服するしかない。自分との戦いですね。マウンドから遠ざかるとよけいに悪くなります」


この状況に西が対応できたのは、ひとつは中継ぎ投手の経験を生かしたからだった。中継ぎはほぼ毎日、ブルペンで肩を作らなければならない。しかも出番はいつになるかわからない。調子のいいときも悪いときも試合の状況によっては投げなければならない。リリーフカーに乗っているとき心臓は激しく動く。調子が悪ければなおさらである。

「でもブルペンで悪くてもマウンドでは開き直っていました」

と西は言う。この、もう投げるしかないという心境に自分を追い込む経験が、打撃投手にも共通する点である。だからストライクが入らないときも投げることで克服する強さが身についた。同時に、いい球がいかないときは、開き直る。

「気持ちいいバッティングさせせんかったけど、試合で打ってくれ」

この頃投げた若手選手には、現在福岡ソフトバンクホークスの中心選手の内川聖一《うちかわせいいち》や多村仁志《たむらひとし》がいる。内川は、三年連続三割をマークした球界屈指のヒットメーカー、多村も昨年（平成二二年）はチームの三冠王となった。西は二人に投げていて、飛ばす力、バッティングの技術は凄かったので、一軍でもかなり活躍するだろうと感じていた。

横浜で三年間打撃投手を務めた西は、平成一五年に中日ドラゴンズへ移籍する。

移籍した打撃投手

このとき中日ドラゴンズの打撃コーチに佐々木恭介《ささききようすけ》がいた。佐々木は近鉄バファローズ出身で、西が南海時代に挨拶を交わす間柄だった。突然佐々木から連絡があり、中日に打撃投手の空きが一人出るので、来てくれないかと誘いがあったのである。西は三重県出身なので、そろそろ両親の傍《そば》に帰りたいと考えていた。そんな理由もあって、三重県に近い中日に移籍した。

移籍にあたっては、横浜時代対戦している選手もいたので、すぐに中日のカラーになじむことができた。主に若手選手に投げるのが彼の仕事だった。名古屋に来て、九年目を迎えた。横浜時代を入れると、打撃投手としてのキャリアは一〇年を超える。彼も四五歳。決して若くはない。やはり疲労の深さは以前よりも感じるようになった。

「投げるときの状態は、よかったり悪かったりと波がありますね。いい状態がずっと続くことは年齢的にも厳しくなりました」

　体が疲れたときは、自分の感覚では打者の好きなコースに投げたはずが、ずれてしまったりする。体のタメもできないので、力のない球を投げてしまうこともある。

「リズムが難しいですね。毎日のことなので」

　西はそう呟いた。落合博満が監督になってから中日は一段と強くなった。西が移籍してからも、リーグ優勝三回、日本一一回という素晴らしい成績を残している。横浜では投げていても、チームが弱かったので打撃投手としての責任を感じることもあった。その点チームが強いと投げ甲斐《がい》もある。

「まず故障しないようにして、一年でも長く投げてユニフォームを着ていたいですね。打撃投手は打者が打ちやすいボールを投げること、それだけです」

　中日には左腕の打撃投手清水治美《しみずはるよし》がいる。彼がチーム最年長の打撃投手で現在は五〇歳になる。元気に投げる彼を見て、西は呟いた。

「僕があの年になって、清水さんのような球を投げられるかというと、どうかなと思います。でもいい目標になります。今後も打者には自分のスイングができる球を投げたいですね」

これから中日の打撃練習が始まる。西はそう語ると、急いで部屋を出て、練習の準備に取り掛かった。彼は「苦労人」「枯れた魅力」と現役時代は呼ばれ、玄人好みのファンから人気があった。その彼の野球人生はまだ終わっていない。打撃投手としての枯れた魅力をいつまでも見せてほしいと願わずにいられない。

楽天・山﨑武司の恋人は元パ・リーグ新人王――元西武ライオンズ　杉山賢人

パ・リーグ新人王

杉山賢人は、現役時代を振り返るとほろ苦い思い出が胸をよぎる。それは平成六年の巨人との日本シリーズである。第四戦の九回に大久保博元に打たれた同点弾と、第五戦で緒方耕一に打たれた勝ち越し満塁弾である。日本シリーズは、四勝二敗で巨人が制することになるが、緒方の一撃が勝敗の帰趨《きすう》を決めた、と言われた。

「人間の心理に残るものは、いいものはあまりないですね。打たれたり、失敗したりしたインパクトのほうが大きいですね」

彼は西武ライオンズの黄金時代にリリーバーとして投げまくった左投手である。平成四年のドラフト一位。新人の年はリーグ最多の五四試合に登板し、七勝二敗五セーブ、防御率は二・八〇を挙げ、堂々の新人王。二年目も五四試合投げた。しかし以後は疲労の色が濃くなった。肩に痛みを感じるようになり、七年目の途中に阪神へトレード、さらに近鉄、横浜へと移り、平成一三年に引退した。やはり一度壊した肩は元に戻らなかったのである。

一年目は投げるので精一杯

横浜を引退するとき、チームの監督は、西武時代に世話になった森祇晶《もりまさあき》だった。野球に関わる仕事をしたいと森に相談すると、一週間ほどして打撃投手の打診を受けた。このとき彼には、将来は指導者になりたいという希望があった。そのため、グラウンドにいて野球を学びたいという思いもあったので、二つ返事で引き受けた。ただ彼の耳にも、人の噂《うわさ》は入ってきた。

「新人王まで取って、一軍で活躍した人間が何で打撃投手をやるんだ？　他にも仕事あるだろ？」

だが杉山はいっこうに気にしなかった。自分の人生なのだから、自分の好きなようにさせてもらいたい。ただ気になることもあった。

「裏方さんという響きはよくありませんね。選手が表舞台という意味なのでしょうね。それを裏で支えるということでしょうけどね。僕らは打撃投手は専門職と考えていますから」

彼が打撃投手として投げたのは、引退した翌年の平成一四年の春のキャンプからだった。今では専門職と言う杉山も当初はこの仕事を、軽く投げて打たせればいいという程度に考えていた。彼は制球力もあったから、ストライクを投げることはたやすいことだったのである。ところが最初に投げて戸惑ったのは自分の球の速さだった。自分では軽く投げたつもりでも、現役時代の余力が残っており、球が打者の手元で伸びてしまう。打者が「まだ速いのが来てますね」「ぴゅっと伸びるんですよね」と杉山に冗談を言う。確かに打者の打球は、球威に押されて詰まった当たりを繰り返した。ではゆっくりと投げようとすると、今度はコントロールが悪くなり、ストライクが入らなくなった。打ちやすい球を打者の要求するコースへ投げることがいかに難しいか、彼もわかったのである。

「軽く投げるのは本当に難しい。手加減は上手くできませんでした。ストライクを取っても、変化したりとか抜けてしまうのです」

ボールが続くと、今度はストライクを取らなければと焦りが生まれ、よけいに上手くいかない。大方の打撃投手が最初にぶつかる壁に、彼も突き当たってしまった。このとき彼はこうも考えた。彼は現役時代にも似たような経験があったなと思い出したのである。これは投手一般に見られる現象である。

それは一塁側へ転がった投手ゴロの処理だ。ふつうは余裕で一塁に送球しアウトを取れる場面だが、意外に暴投が多く、投げにくい。投手は打者に向かって全力で投げる。打球を処理しても全力で一塁へ送球できれば問題はないが、一塁に近いゴロだと、一塁手を慮ってゆっくりと投げてやらなければならない。ここでたちまちリズムを崩して、一塁手のミットの届かない場所に投げてしまうのである。素人目には、あんな簡単なプレーをミスするとは訝《いぶか》るだろうが、とても気を遣うプレーなのである。打撃投手の難しさはこれに似ていると、杉山は思った。

このミスを何度か繰り返すとイップスになってしまうのだなとも感じた。杉山にとっての打撃投手一年目は、ただがむしゃらに打ちやすい球を投げようとする悪戦苦闘の日々だった。

二年目、打者の特徴を摑む

「二年目になってようやく自分の意図するボールを投げられるようになりました」

自分が頭で描いた打ちやすい球と、実際に投げるボールが合致するようになったのである。その第一の要因は、彼の筋力が落ちたことだった。落ちたことで、ボールが打者の手元で伸びたりしなくなったのである。ストライクも入るようになった。いわゆる本物の投手のボールではなく、打撃投手のボールになったのである。だがワンステップ上がった杉山はこうも考えた。

「気持ちよく打たせるだけでいいのだろうか」

打撃投手はどこのチームもそうだが、だいたい打者の担当が固定されてくる。彼の場合は、左の佐伯貴弘《さえきたかひろ》、若手の多村仁志（横浜時代は多村仁と登録）、内川聖一である。いつも投げているから、彼らの特徴もわかってきた。すると、彼らの得意なコース、苦手なコースも把握して、上手く投げ分ける必要性を感じ始めた。気持ちよく打たせるのが前提だが、ときには苦手なコースに投げて慣れてもらうことも必要だ。

たとえば佐伯である。彼は現在（平成二三年）も中日ドラゴンズで現役を続ける息の長い左打者だが、杉山が横浜にいたときも、三〇代前半のベテランでパンチ力のある強打者だった。だが左投手が左打者に投げるときほど困難なことはないと実感させられる。

投手が左のとき、左打者は、右打者に比べてストライクゾーンが狭い、というのが杉山の認識だった。左投手の球は、左打者の内側から外側へ軌道を描いて、ホームベースを通過する。上から見ると斜めにホームベースを通ってゆくから、そこに打者が立つと球道を遮るような形になる。したがってストライクゾーンの高低は変わらなくとも、横の幅が狭まってしまう。外角に投げようとすれば引っかかって逸《そ》れてしまうし、内角に投げようとすれば、球が抜けて当たる危険がある。逆に右打者のほうが、球が外側から内側に入ってくるからストライクゾーンの幅が広くなる。

そのためか現役時代の杉山は左打者を苦手とした。

「結果的には抑えていますが、苦手意識を左打者に持っていました。右打者のほうが好きでした。これと結果は別なのです。今でも左打者には上手く投げられないですね」

そのため打撃投手になってからも左打者には苦労したという。とくに佐伯のようなベテランには、練習ではいい当たりを飛ばして気持ちよく試合に臨んでもらいたかった。詰まる打球をもっとも嫌がるのである。杉山もいい球を投げたいという意識が強すぎて上手く投げることができなかった。

「佐伯の場合、インコースに投げると、全部詰まるのですね。とくに僕の球がシュートしてしまうとそうでした。外に投げると、スライドするときもあります。彼は〝スライドしたぞ〟と言うわけです。こっちは〝それくらい打てよ〟と思いますが。言われるとこちらも腹が立ちますから（笑）、インコースに速いのを投げたりしました。〝詰まってんじゃねえよ〟と内心思っていました」

ここに杉山が打撃投手を務められた秘訣がある。それは多くの一流の打撃投手が指摘するように、打者から何か言われても気にしないということである。杉山には打者から文句を言われても、上手く流せる柔軟性があった。

若い打者が打席に入る。杉山がまっすぐを投げると打ち損じたり、見逃してしまう者もいた。

「まっすぐしかないのに何で見逃すんだよ」

彼は呟く。そのとき彼は内角に思い切り速い球を投げた。徹底して苦手意識のあるコースを突くのだ。打者は次々と詰まった打球を打ち上げる。若手だから、年上の杉山に文句は言えない。彼はすべての打者の長所、弱点を摑《つか》んでいたから、自在に投げることができた。

「そこを打てないのだったら、試合では打てないぞ」

そんなはっぱをかける気持ちもあった。

左打者は左投手を苦手とする。これは野球界の常識である。だが、それは違うと思った。優秀な左打者は、左投手をよく打っていることに投げるうちに気がついたのだ。左投手が投げるカーブは、左打者の背中から急速にストライクゾーンに入ってくるように見える。確かに見にくく、恐怖心もある。しかし、左投手が左打者に投げるストライクゾーンは狭いから、カーブやスライダーはこのコース以外にはない。

左打者にとって相性がいいと言われる右投手のケースを考えてみる。右投手は左打者へのストライクゾーンの幅が広くなるから、スライダーにしても内角、外角といろんなコースに投げ分けることができる。だから左打者は右投手のほうが打ちにくい。しかも球が自分のほうに向かってくるように感じるから恐怖心もある。

「極端に言ったら、背中から左投手のカーブが来ても、左打者はボールが自分から離れていくように感じられるわけです。体が開きさえしなければ、センターからレフトを狙えば打てます。だから左打者が調子の悪いときは左投手を打てとよく言われます。体が開くのを我慢して打つと、調子がよくなります」

スランプに陥った左打者は体を早く開いて打ちに行く。精神的にも焦っているからだ。開くということは顔も動いている。顔が動けば、目の位置が動き、ミートする部分がずれる。当然バットの芯に当たる確率は低くなる。体を開かずに打てば、ボールをしっかり見られていることの証左である。

三年目、〝さあ、いらっしゃい〟

杉山は、二年目に打者の特徴を摑むと、自分でも意図してコースを投げ分けるようになった。その一例が多村仁志である。多村については、西清孝の項でも触れたが、当時の彼は勝負強い打撃はあったが、まだレギュラーを取れていなかった。平成一三年は三三試合に出場し、本塁打は一本だった。それが平成一六年には本塁打四〇本、打率三割五厘、一〇〇打点と突然開花する。多村は右打者である。外角の高目に投げてやると、彼は右中間にいい打球を飛ばした。調子のいい証拠である。だが外の球をひっかけてレフトに打つときがある。これは調子の悪いときである。同時に右に打とうとしても、ファウルになってしまう。これも調子が落ち気味のときである。

「調子が悪いと、体の前で打とうとするわけです。全部ひっかけるからレフトに行ってしまう。しっかりと体重が右足に残って、右中間方向に打球が行けば凄くいいときです。スタンドに入る入らないは別です。いい打球がその方向に行くかどうかなのです」

杉山は、多村は引っ張って飛ばす打者ではないと知っていた。

試合ではいつも右中間に本塁打を打てる打者だった。そのため、彼の得意な外角から投げてやり、徐々に内角に投げるようにした。そうすると苦手の内角に来ても体の軸が回っていい打球が飛んだ。

「打っている人間がわかっているか、私は知りません。たぶん内角に来ても、軸が回るように打たしてもらっているという感覚はないと思います。しかし僕らは投げることのプロフェッショナルです。彼の特徴を十分に把握して気持ちよく打たせようとしました」

打撃投手としては苦手なコースを克服してもらいたい。それを打者にわからないように投げる。それを上手くやるのが打撃投手の仕事である。

打者によって特徴が違うから、逆に内角から投げることもある。体の軸が回転してバットが出るようになったら、徐々に外寄りに投げる。すると外角の球にもバットがスムーズに出るようになる。

とくに杉山は打撃練習以外にも、試合で選手の調子を見ることを欠かさなかった。いつもと違うなと思ったら、練習で投げるコースも変えた。内角が得意な打者の調子が悪いと、その日は内角一辺倒に投げて、自信を取り戻してもらうようにした。

そんな杉山の喜びは、当然だが自分が投げた打者がヒットを打ってくれたときだった。その中でもとくに嬉しかったのが、守備要員として起用の多い万永貴司《まんえいたかし》が打ったときである。杉山は万永にも投げていた。彼は試合では打席に立つことは少なかった。ときおり守備から出場して、次の回に打席に立つこともある。だが、ほとんどはバントをすることが多い。だから打力の弱い彼がヒットを打ったときは杉山も嬉しかった。

打撃投手の奥の深さに目覚めた杉山は、練習では緊張せずに、どんな打者が来ても調子を戻させられるという自信も芽ばえた。そのときに思ったのが、打者への「さあ、いらっしゃい」という言葉だった。

四年目、清原のアドバイス

杉山はスコアラー兼務で、試合中もベンチに入ることができた。そのため試合をよく見ていた。何より監督やコーチの話が耳に入ってきた。相手投手のスコアもつけるから、投手の配球もわかるようになり、次は変化球だなと先を読めるようになった。ベンチで学んだことを、翌日の打撃練習で生かすようにした。

ある日、元同僚の清原和博と話す機会があった。彼は巨人に移籍して主力打者として活躍していた。ひとしきり世間話が終わった後、杉山は彼に聞いた。

「打者にはどんな球を投げたらいちばん打ちやすいんでしょう」

「それはゆっくり足を上げて、ゆっくりとした動きで投げてくればいいんですよ」

杉山にとっては目から鱗《うろこ》が落ちた瞬間だった。打ちごろの球をコースにきちんと投げることとは違っていたからだ。清原は怪訝な表情の彼に言った。

「中には速いリズムで投げてくる人もいるけど、あれは打ちにくいですよ。早くきちゃうと打ちづらい」

「なんでゆっくりした動きがいいの」

「そりゃ間が欲しいからですよ。ボールは速くても構わないんです」

ゆっくりと足を上げて、ゆっくりと投げる。そのとき打者は打撃投手の動きに合わせて、バットを引いて余裕を持って構えることができる。きちんと構えて打てるなら、球は速くても対応できる。

「なるほどと思いました。リズムよく投げるのも必要かもしれないけれど、いいリズムを生かすための投球フォームで投げることも大事だなと思いました」

その理想的な投げ方をしていたのが、巨人で〝松井の恋人〟と呼ばれた北野明仁だった。北野を見ると、杉山は同じセ・リーグということもあり、彼を見る機会に恵まれた。打者とのいいテンポの中でも、ゆったりと足を上げて、打者がタイミングを取りやすいようにして投げていた。

とくに北野に感心したのは、打者のバッティングスタイルが崩れなかったという点だ。これは常にいい球を投げているから、打者は自分のフォームで打つことができるのだと杉山は思った。自分は、球が変化するから、打者が変な格好で打ってしまう。北野の球には変化がない。杉山は彼のような打撃投手になりたいと思った。

このとき彼の脳裏に「打撃投手は専門職人」という言葉が強く甦った。ときおりキャンプでは野手が打撃投手の代わりを務めることがある。なかなかストライクが入らないのが現状だ。

「簡単にストライクが取れるだろうと思う人もいます。だが、そんなもんじゃない。打撃投手が投げるボールは遅くても、野手が投げる球とは回転が違うのです。僕らは野手に対しては、〝この仕事は専門職だから、おまえたちにはできねえだろ〟と思っていました（笑）」

同時にこの仕事は一軍での実績とはまったく無関係な仕事だということもわかった。一軍でコントロールのいい投手が、打撃投手としてストライクを投げられるとは限らない。イップスにかかる例もあるし、精神的な重圧に負けてストライクが入らなくなることもある。

「一軍でいい成績を残したから、打撃投手として成功するとは限りません。気持ちの問題がすごく比重を占める仕事です」

杉山は、平成一七年限りで横浜を去った。平成一八年に東北楽天ゴールデンイーグルスの一軍投手コーチになることが決まったからである。指導者になるという彼の希望が叶《かな》ったのである。打撃投手歴は四年だった。

山﨑武司の凄い打球

楽天の投手コーチは中日でリリーフとして活躍した鹿島《かしま》忠《ただし》と杉山の二人だった。杉山はブルペン担当コーチである。彼は横浜時代に打撃投手を務め、しかもスコアラーとしてベンチで戦況を見守ることが多かったので、多角的に野球を見ていた。そのことがコーチとしても役立った。打撃投手からコーチへの転身も珍しい。裏方の世界を知っていたのは杉山の強みだった。杉山が楽天に入団した年に、部坂《へさか》俊之《としゆき》が打撃投手として採用された。彼は平成一一年に阪神に入団したから、阪神では杉山の同僚だった。部坂は、阪神から戦力外通告を受けた後、楽天に入団してきたのである。

このとき杉山は彼に打撃投手の心得を話した。

「打撃投手は専門職だから、ただ投げているだけじゃ駄目なんだぞ。打者の特徴をとらえて自分でいろいろと考えてやらなきゃならないんだぞ」

真剣に聞く部坂に、杉山はこうも言った。

「特徴は打者によって違うから、彼らからいいものを引き出してやるのが、おまえたちの仕事だよ」

実際、杉山から見ると、ただ打ちやすい球を投げているだけの打撃投手が多いように思われた。打撃投手のプロフェッショナルとして生きるためには、頭を働かせることも必要なのだ。

楽天には、オリックスを解雇されて入団した山﨑武司《やまさきたけし》がいた。中日時代に本塁打王になった彼も三七歳。オリックスの最終年では本塁打を四本しか打てなかった。ところが野村克也が監督となった翌年の平成一九年には本塁打四三、打点一〇八を挙げて、二冠王になった。見事な復活だった。以後も彼は本塁打を打ちまくり、チームの主砲として活躍した。

杉山に打撃コーチの池山隆寛が相談にやってきた。じつは山﨑に投げる左の打撃投手がいないというのである。チームには左の打撃投手に、関口伊織がいたが、彼一人をいろんな打者に投げさせると負担がかかってしまう。他にも左投手はいたが、コントロールに難があった。二軍の若手投手に投げさせることも可能だが、彼らが一流の打撃投手の代役を務めるのは難しい。

池山はしばらく躊躇《ためら》っていたが、こう切り出した。

「ねえ、山﨑に投げてくれないか」

一軍投手コーチが、打撃投手を務めるのである。杉山は一瞬驚いたが、自分の腕を見込まれたわけだから、受け入れた。投げる順番は、最後の組で、ここには山﨑の他にフェルナンデスもいた。最後の組は、どのチームもそうだが、もっとも主力の打者が打つ。そこで投げる打撃投手はキャリアが豊富でなければいけない。

フェルナンデスは、もとは西武の選手だったが、守備に難があり、この年楽天に移籍してきたのである。移籍一年目の平成一八年は、打率三割二厘、二八本塁打、八八打点を挙げ、三塁手のベストナインに選ばれた。楽天では初めての個人タイトル獲得選手だった。

杉山が投げると、山﨑は気持ちよく打ってゆく。阪神で彼とは対戦していたが、そのときよりも山﨑は成長していた。それはスイングの速さだった。特筆すべきは、打球がバットに当たった音が他の選手と違っていたことである。横浜時代にも多くの打者に投げたが、山﨑ほど鋭い音をさせる者はいなかった。

「山﨑には打てる、打てないの苦手なコースはあります。多少内角は苦手のようだから、真ん中から少し外角気味に投げました。すると上手くつかまえてレフトスタンドに持ってゆくのですね。たまに内角に投げると詰まります」

二人は同じ年。そのため親しみを込め「武司」と呼ぶ。ときに内角に詰まると、そこで軸を意識したらバットが早く出るのではないかと助言した。それは横浜で多村に投げた経験が生きた。

「武司のスピードだと、バットにボールが当たる音が他の選手と違う。彼の場合はとくに力強い音がするのですね。〝バチッ〟と音がする。さすがにここまでやってきた人間は違うと思いました。怪我さえしなければ、あと三～四年は十分できると思いますよ」

杉山が投げるのはいちばん後である。この頃には三塁側ベンチ前で、自分たちの練習を待っている相手チームが柔軟体操をしながら、杉山の姿を見ていた。

「どうしてあの人投げてるの？　コーチだろう」

と怪訝な表情をした。相手チームの口の悪いコーチたちは、彼を冷やかした。

「おい、バッティングピッチャー」

杉山も苦笑するしかなかった。練習が終了すると、相手チームのスタッフがマウンドにやってくる。用具をかたづける間、相手チームも自分たちの打撃練習の準備を始める。

このとき彼らは言う。

「杉山さん、ずいぶん投げますね」

「いやあ、投げてくれとバッティングコーチが言うんだよ」

彼は照れ臭そうに答えた。山﨑が復活してタイトルを獲得したのは、杉山が投げ始めてからである。大打者の偉大な記録の陰に、打撃投手の内助の功ありという思いがする。

杉山は、平成二一年限りで楽天を去って、その後は解説者をした。彼が現役を引退しての一〇年間で、打撃投手を四年、コーチを四年、解説者を二年と、いろいろな立場で野球を学んだ。コーチのときは野村克也から野球の奥深さも教わった。

「指導者として生きたいと思ったから、打撃投手の経験は肥やしになっています。現役のときよりはるかにいい経験をしました」

次にコーチの機会があるとしたら、もっと野球の深さを伝えられるという自負もある。

彼は今考えている。野球にも天性や素質という言葉がある。打撃は天性のもので、守備は努力で上手くなると言われる。大方の意見はそうである。しかし北野明仁を見ていると、打撃投手にも天性というものがあると思えてくるのだ。

「知らず知らずのうちに上手く投げられる人がいるような気もします」

杉山はそう呟いた。今はいい打撃投手が少なくなったと感じる。いい打撃投手とは打ちやすい球を投げる以上に、打者の意を汲《く》んで上手に気持ちを乗せてやれる人のことだ。

「北野さんみたいな打撃投手が見当たらないのですね」

打撃投手として生きてゆくには、努力か、天性か。意見は分かれるが、それだけ高度な技量を必要とするのが、打撃投手の仕事なのである。

清原との乱闘もあった豪傑中継ぎエース――中日ドラゴンズ　平沼定晴

世紀の大乱闘

中日ドラゴンズで打撃投手を務める平沼定晴を語る上でどうしても避けられないのが、清原和博との乱闘事件である。事件は、平成元年九月二三日に西武ライオンズ球場の西武対ロッテ戦で起きた。このとき平沼はロッテに所属していた。

この日ロッテの先発は左の前田幸長だったが、三回途中までに三点を取られて降板すると、平沼がマウンドに上がった。四回になったときだった。西武の攻撃となり、二死一、二塁で打席には四番の清原が入った。じつは前の対戦で平沼は清原に本塁打を打たれていたので、ここは何としても抑えたいと考えていた。平沼は思い切り清原の苦手な内角を突いた。だがこの速球が、清原の左肘を直撃してしまった。清原はさっと顔色を変え、一、二歩マウンドに歩み寄った。と、右手に持っていたバットを平沼に投げつけた。バットは平沼の前でバウンドして、グリップエンドが彼の左太腿に当たった。怒った平沼も前に出ようとする。すでに清原はマウンドに向かって走り出していた。そのまま飛び蹴りを平沼に見舞った。清原の尻が彼の上半身を直撃し、平沼はその場に倒れた。清原はすぐにマウンドから離れて、ベンチに走り去ろうとした。そこへロッテのコーチや選手が寄ってきて、ついに両チームの選手たちがもみ合いになった。

この後二塁塁審は清原に退場を宣告。清原は暴力行為で出場停止二日間、制裁金三〇万円、厳重戒告の罰を受けた。何とも後味の悪い乱闘の結末だった。

このときの話を振ると、平沼はゆっくりと語った。

「清原とのことは皆僕がやられたと思っている人が多いけど、僕も向かっていったのですよ。そら逃げるのはみっともないじゃないですか。自分で当てておいて、向かってきたら〝はい逃げました〟じゃね」

そこまで言うと彼は苦笑した。この件については、平沼の言い分も聞かなければならない。

この乱闘には伏線があった。

この年の清原は、相手投手の死球攻めに遭い、この日まで一四個の死球を記録していた。これは両リーグを通じて一位だった。清原は内角が苦手なので、徹底した内角攻めにあったから、死球も多くなった。そのため、「今度ぶつけられたら相手が誰であろうと容赦なく攻めに行く」と報道陣に語っていた。しかし平沼も投手だから「わかりました。内角には投げません」というわけにはゆかない。

「厳しいところを突かないと、自分が打たれてしまうから」

そんな状況の中で、清原の肘に当ててしまったのである。それで怒りの標的が平沼になったのだ。清原も相当なやんちゃだが、平沼も彼に負けず劣らず豪傑の男である。同僚と飲みに行って一晩で給料を使ってしまったこともある。当時は店の呼び込みがしつこく、シャツを強く引っ張られて、シャツが破れたこともあった。

そのため彼らに平沼流の教育的指導を行い、静かにさせたこともあるという。

その意味で平沼も、清原同様番長的なキャラクターなのである。清原が投げたバットが当たったとき、向こう意気の強い平沼は立ち向かおうと、まっしぐらに進もうとした。だが清原は横から飛び蹴りを仕掛けてきた。これには平沼も虚をつかれた。実際に当たったのは尻だが、清原との体格差に押されて倒れてしまった。清原は一八八センチ、九三キロ、一方平沼は一七八センチ、七八キロ。一〇センチの身長差、一五キロの体重差があった。起き上がったら清原の姿は消えていた。

「僕はあっという間に吹っ飛ばされてしまいました。起き上がったら、彼はすでに逃げてベンチの裏に行ってしまった。それで頭来てね」

ここで怯《ひる》まないのが平沼である。試合後も怒りが収まらず、西武のベンチ裏まで行き、清原を捜した。駐車場まで行ったが清原は帰った後だった。

この事件はこれだけでは終わらなかった。バットを当てられたため、平沼は翌日は歩くことができなかった。そのため告訴すれば傷害事件になると、コミッショナーと球団から連絡があった。警察からも告訴するかどうか電話が掛かってきた。平沼は言った。

「それだけはやめてください。みっともないじゃないですか」

彼も冷静な思考を取り戻していた。あれだけ当てられれば、清原が威嚇するのも当然だと思ったからである。

「キヨも頭に来たのでしょう。腹も立ったと思います。彼も当てられて骨折したら、選手生命が危ぶまれるわけですから。黙っていたらまた当てられるでしょうからね」

翌日、清原は選手会長の辻発彦《つじはつひこ》に連れられて、平沼のロッカーに謝りに来た。彼は、恐縮して頭を下げる清原に「もういいよ」と言って許した。告訴もせず、その場ですべてを収めた。

「威嚇するのは当たり前だと思うのです。ただバット投げたりはしちゃいけない。素手で向かっていけば、退場で済むわけですから大事にはなりません」

平沼は苦笑した。

これには後日談がある。度胸の据わった平沼もさすがに事件以降清原には内角を投げづらくなった。ところが清原のほうから声をかけてきた。

「平沼さん、思い切り突いてきてください。お願いしますよ」

見所のある奴《やつ》だなと、感心したという。

リリーフとして大活躍

乱闘の件ばかりが取り沙汰されるが、平沼は選手としても一流だった。彼は昭和四〇年生まれ。千葉商科大学付属高校では〝豪腕〟と呼ばれ、関東ナンバーワンの投手だった。高校生ながら胸囲は九九センチ、右腕回りは三一センチ、しかも遠投をさせれば、球場を飛び越え、場外の体育館に直接ぶつけた。二年生の秋の関東大会では埼玉県立上尾《あげお》高校と対戦して延長一三回を投げぬき、〇対一で負けたものの、奪三振は二四、被安打は二という驚異的な力投も見せた。三年の春には選抜大会に出場、一回戦で敗れはしたが、全国でも彼の名前は知られるようになった。

昭和五七年のドラフト会議で二位指名を受け、中日に入団した。中継ぎが彼の役割だった。

平沼の特技は肩を作るのが早いことだった。だから指令がかかればすぐに投げることができた。さらに連投もできた。目標は年間五〇試合近く投げること。彼の名前が広く知られたのは、昭和六一年のオフだった。ロッテの三冠王の落合博満が電撃的に中日にトレードされることになったのである。その交換要員が、中日からは内野手の上川誠二《かみかわせいじ》、抑えの牛島和彦、中継ぎの平沼、桑田茂だった。一対四の大型トレードだった。

だが古巣の中日を出た平沼は、ロッテに移籍してから本領を発揮した。平成三年には四〇試合に登板し、四勝六敗一セーブ、防御率三・四七、翌四年も四〇試合登板、六勝二敗、防御率二・四一というセットアッパーを務めた。とくに彼の特質を表すのは、この二年間の投球イニングが九六回、八二回と、リリーフにしては驚異的な回数を投げていることである。このことから彼をタフネスと呼ぶ人もいた。

平成八年に古巣の中日に戻り、さらに二年後西武ライオンズに移籍して現役を引退した。一六年間のプロ生活で、年齢は三四歳になっていた。通算成績は三四二試合に登板して一八勝二二敗五セーブだった。

平沼は引退後、三度目となる古巣に戻り、打撃投手になった。

「西武からも何らかの形でチームに残ってほしいと言われました。ただ名古屋に家庭があるから二重生活も覚悟しなければと思っていました。このとき中日のコーチだった島野育夫さん（故人）から〝打撃投手として投げてみないか？〟と話をいただきました。じつは自分には若い人を育成したいという夢があったのですが、打撃投手をしながらその勉強もやったらどうだとも言われました」

現役から裏方へ。その気持ちの切り替えには悩んだという。

「もっと現役をできるのではないかという自分との戦いがありました。怪我でもすれば諦めもついたんです。そうでなかったから諦めがつかなかったんですね。故障していた肘も足も治っていましたからね」

その彼は今（平成二三年）では打撃投手一三年のキャリア、球界では広島の井上卓也（五四歳）に次いで右投手では二番目の年齢になった。彼の特徴は、現役を一六年やって打撃投手になったことである。打撃投手はプロ入り数年から一〇年ほどで戦力外通告された若い投手が務めることが多い。平沼は一六年の長い現役生活の後である。

「現役を早く終わってやっている人が多いですね。だからもう少し投げられるだろうというときに打撃投手になるわけです。僕の場合はかなり珍しいと思います」

長く打撃投手を務めた人たちは、現役のときにあまり試合で投げていないケースが多い。投手の肩は消耗品と呼ばれるが、多くが使いべりしていないときに打撃投手に転向する。

平沼は登板した試合数も三四二試合と多い。ひたすらチームのために投げまくってからの打撃投手転向だった。

だが彼はきっぱりと言う。

「たくさん試合で投げたから、打撃投手が務まらないということは絶対にありません」

立浪和義との出会い

平沼の現役時代は、スライダーとシュートで勝負する投手だった。決してコントロールはいいほうではなかった。ところが最初の頃は打撃投手は結構楽だなと思った。これは多くの打撃投手の感慨と同じである。それが二ヵ月後に壁にぶつかる。これも他の打撃投手と同様である。

二ヵ月を過ぎたときだった。まずは体の変調が現れた。投げるたびに、肩は張り、肘は痛んだ。いい球を投げることはできたのだが、速すぎるのかなと探って投げているうちに肘が痛み出したのだ。もう一つの原因は打者にボールを当ててしまったことである。投げるときに、球が滑って、外国人打者に当たったのである。そうなると絶対に当ててはいけないという思いが強くなり、ストライクが入らなくなってしまった。

「これは二年続く人もいたり、さまざまです。壁にぶつかったとき、さらに打者の背中を通しちゃったりすると、心理的にますます追い詰められていきます。その壁が難しいのです。そこで皆辞めてゆくのですが、これはやった人しかわからない」

打撃投手は打者の調子にも左右される。いいボールが行っても打者が見逃す。手が出ないのである。「ストライクは打ってくれよ」と内心で思う。しかし見逃しが続くと、打撃投手の調子も崩れる。ボールが続き、ストライクが入らなくなる。いい打者は多少のボール球でも打つ。これで打撃投手の調子がよくなるのと同じパターンだ。さらに若手には投げやすいが、ベテラン、レギュラークラスの選手に投げるのは苦労した。彼らは一流の選手だから、注文も多くなるからだ。

「壁にぶつかっても、僕は（イップスとか）変なふうにならなかった。ただコントロールが悪いという感じだけだから、まあ大丈夫というのはあったのです。ただ周りが皆そうなって辞めてゆくじゃないですか。影響されるわけじゃないが、やっぱり僕もそうなるんじゃないかという不安はありました」

その中で平沼の支えになったのは立浪和義との出会いだった。立浪は、「ミスタードラゴンズ」と呼ばれ、一六年間規定打席到達を記録し、通算安打は二四八〇本と抜群の打撃技術を持った打者である。平沼が打撃投手になった年、立浪も三〇歳を目前にひかえ、ベテランとしての円熟味が出始めた時期だった。打率もつねに三割前後を残していた。その彼が平沼の球を好んで打ってくれたのである。

平成八年に中日に戻ったとき、彼が驚いたのは、すでにスタープレーヤーだった立浪の礼儀正しさだった。ふつう選手たちはグラウンドに入るときは、頭を下げる。だがこのとき二〇代の立浪は、グラウンドから出るときも一礼していた。そういう選手は他にはいなかった。

「年下なのにえらい選手だ」

と平沼は思った。その立浪が、打撃投手として古巣に戻った平沼の球を好んで打ってくれたのである。平沼は親しさをこめて立浪を「タツ」と呼ぶ。

「何か知らないのですが、タツは僕じゃないと駄目みたいです。僕がいいと言うのです。たぶんスローボールも投げられるし、切れのいい速いボールも投げられるから信用してくれたのだと思います」

たださすがに打撃技術は卓越しているから、練習量は尋常ではない。キャンプだと毎日三〇分、一五〇球投げたが、立浪は、通常の打撃練習とは別にさらに室内練習場でも練習をした。

「先輩、室内に行っていただけませんか。二〇分くらいいいですか」

ここで平沼は彼に四〇分投げることになった。一日に二度投げるから、これを「二度投げ」と言うが、打撃投手にはきつい仕事だった。肩が張っていても、辛いとは言えなかったし、体のあちこちが痛くても痛いとは言えなかった。平沼はそのときは、体にテーピングをしながら投げた。ただ彼は、自分を頼りにしてくれることが嬉しくて仕方がなかったという。

立浪が打撃投手に求める内容は厳しかった。緩いスローボールを投げた後に、今度は速い球を要求した。それだけではない。内角へ速い球、スライダーはもっと大きく腕を振って投げてほしい、スローボールは山なりのゆっくりしたもの、高めの速い球、これだけの要望に応えていたら、並の打撃投手は潰れてしまう。実際平沼も肩の感覚がおかしくなって、どこへボールが飛んでゆくのかわからない不安に駆られたことがある。

「やっぱきつかったですが、自分を凄く買ってくれたのでね。彼に成長させてもらった気がします」

平沼も一度、立浪に当てそうになったときがある。力を入れて投げると、立浪が踏み込んだ膝にボールが行ってしまった。一瞬、平沼は真っ青になったが、立浪は膝元の球をきれいに打ってくれた。

「ここでぶつけたり、背中にボールを通していれば、もう投げられなくなっていました。タツはいろんな注文を出します。そら僕だって人間ですから、注文どおりには投げられない。真ん中だけと言われてもそうは投げられない。僕もいいときもあれば悪いときもある。だけど彼は顔に出さずに、文句一つ言わずに自分の球を打ってくれました。すごく感謝をしています。そういう気持ちでやらなければと思うようになったのです」

立浪は平沼に打撃の調子を聞くようになった。それも二日に一度は必ずである。

「俺なんかじゃわからんぞ。おまえのレベルは凄いから」

そう平沼が断っても、立浪は諦めなかった。

「だけど、ここはどうでしょう」

仕方なく彼は感じたことをそのまま伝えた。

「そこはあかんよ、おかしく感じたな」

その言葉を立浪は素直に聞いた。ただ、立浪の要求は高度だったので、投げ終えたあと感覚がおかしくなり、次の打者でコントロールが乱れてしまうときもあった。

「今はもう正直、立浪には投げられないですよ。あの当時は投げられたけど。そんな体力もないです」

確かに彼も四〇代半ばを超えた。これからは衰えてゆく体力との戦いでもある。

年齢との戦い

中日の打撃投手の投げる位置は、メジャーで計測して一センチの違いもないところで投げる。一六メートル三〇センチ、正規の距離より二メートルほど手前だ。これをホームベースから計測して投げる位置を決める。打撃投手の感覚で投げる位置を決めるわけではない。距離が正確だと、打者も感覚が正確につかめるからである。調子の悪い打者は、打撃投手の投げる位置をいつもより手前に感じるという。

「今日は近くないですか」

「少し遠くないですか」

という疑問を消すためである。逆に言えば、打撃投手も体力的にきついときは、もっと前から投げたいと思うときがある。だがそれが許されない厳しさがあるのも事実だ。

「最近ボール落ちていますね」

と選手が冗談で言うときがある。それが本人にはいちばんきつい言葉になる。今（平成二三年）、平沼は荒木雅博、井端弘和《いばたひろかず》、谷繁元信《たにしげもとのぶ》らに投げている。彼は現在の気持ちを語る。

「もう年なので、肩もよくないし、力も入らないから、いい球と悪い球の差が激しくなっています」

とくにそう感じるようになったのは四〇歳を過ぎてからだ。まず肩が上がらなくなってきた。腕がよく回らない。そうなると投げ方も変わってくる。年齢とともに下半身も衰えてくる。とくにここ二年間は肩に力が入ったり入らなかったりと、我慢との戦いである。

「鍛えたほうがいいと言われても、鍛える体力がないですからね（笑）。毎日投げるわけですから、投げていること自体で鍛えていると言えるかもしれませんね」

とはいえ、彼もウエイトトレーニングを欠かさない。筋肉をつけていないと、肘がゆるんだ状態になってしまう。ウエイトトレーニングで筋肉を大きくしてゆけば、なんとか投げられるからである。

平成二三年六月三日のナゴヤドーム。その日は午後二時三〇分から中日の練習が始まった。主力選手が打撃ケージに姿を見せたのは三時前であった。平沼は球場の空いたところで、ランニングをし、ストレッチをすると、三塁側のベンチ前でキャッチボールを始めた。相手も打撃投手。平沼はオーバースローからの本格派の投手のフォームである。右手を高く上げて振り下ろす。一瞬、中継ぎで投げまくった彼の往年の姿が甦った。ゆっくりとした投げ方だが、相手のグラブにボールが入ると鋭く大きな音がする。本人は体力が落ちたと言うが、やはり平沼の姿は、肩は盛り上がり、下半身の肉付きもいい。変わったのはお腹《なか》の周りに少し肉がついたことくらいか。

キャッチボールの距離も長くなった。肩作りが終わると、彼はその場から打撃練習を眺めていた。ときおり球団職員が傍に来て、話をしている。笑みも見えた。

「今も葛藤はありますが、まあなんとかやっている感じです」

彼はそう呟くと、もう一度マウンドを見た。いよいよ彼がマウンドに上がる時間が近づいた。一瞬、顔が厳しくなり、眼光が鋭くなった。

彼がマウンドに行く前、話してくれたことを私は反芻《はんすう》していた。

「この世界にベテランとかそういうものはないです。打撃投手を二年やろうが、一〇年やろうがおかしくなる人はなる。ただ早く選手を辞めて、打撃投手になったほうが長くやれるでしょう。肩も使いべりしてないからね。でもね、言えるのはやった人にしかわからないということ。コントロールがよかろうが悪かろうが、気が大きかろうが小さかろうが、誰にいつ何が起こるかわからん」

たとえば現役のときコントロールの悪かった投手が、打撃投手になって突然よくなる場合もある。かと思えば野手が打撃投手になることもあるが、やはり通用せずに辞めていったりする。本当にこの世界はわからないものだ。改めてこの仕事の難しさを感じる瞬間である。

打撃投手を殺すのは打者である。ストライクが入らなくて、打者から、

「給料貰《もら》ってるんだから、きちんと投げんか！」

と言われれば、すぐに潰れてしまう。しかし打者の励まし、感謝、賞賛によって打撃投手が育つのも事実だ。井端弘和は、三割を打ったときに、平沼に礼を言った。

「おかげで三割打てましたよ。先輩がいつも投げてくれるおかげです」

些細なことかもしれないが、それで嬉しいな、頑張ろうとモチベーションを高めることもできるのだ。平沼を求めた立浪も二〇〇〇本安打を打ったときは、とても感謝してくれた。野球は団体競技だから一人でプレーするものではない。互いがチームプレーに徹し、助け合うことで選手もスタッフも成長する。そこに野球の面白さがある。

「言い分はどちらにもあるということです。〝そのくらい打てよ〟とこちらも言えば喧《けん》嘩《か》になりますからね。だから人のことはあまり考えない、言葉は悪いがいかに〝ノー感（あまり動揺しないこと）〟な人間になれるかですよ」

午後三時になって、平沼が投げ出した。ノーワインドで、現役時代さながら真上から投げ下ろす。最初に打席に入った荒木は、初球は低かったのか見送った。やがてリズムに乗ってきたのか三遊間にゴロを打ち始めた。彼はつねにセンター返しを心がけているそうだ。そのためか打球はセンター前に行くライナーが多かった。平沼は変化球をミックスして投げているという。投げる途中で、彼は横から投げる格好を軽くしてみせた。変化球ミックスで行くよ、というサインなのである。その球を打った荒木は詰まった打球になった。コントロールが悪かったのか、平沼は右掌《みぎて》を立てて、すまないというふうに合図した。投手ゴロなどいま一つの打球が多かったが、徐々にセンター前にヒットするような速い打球が飛び始めた。

平沼は、ボールが続くと、L字ネットに両手をついて苦笑する。打撃捕手とのやりとりなのか、話していることも多い。だがこれが打撃投手として、気持ちの余裕を持つということなのだろう。一球だけ彼の投げた球が、高めに決まった。また高め。首を傾《かし》げる平沼。ボールなのかストライクなのか、外から見る分にはわからない。筆者には彼の球に荒木は手が出なかった、と見えた。

荒木の投手返しのライナーがL字ネットを直撃した。ネットの角にある鉄の部分だった。平沼はネットの後ろで顔を背けた。打撃投手は大怪我と隣り合わせという言葉を感じさせた瞬間だった。

谷繁元信が打席に入った。ときおり低めのボールと高めのボールを谷繁は見逃した。やがて左中間、三遊間にライナーを飛ばし始めた。平沼も気持ちよさそうだ。投げている間に、打者と話すこともある。そんな互いの意思の疎通から、投手と打者のいい関係が生まれるのだろう。谷繁は一球一球ゆっくりと投げてもらいたいタイプなのだそうだ。最後に谷繁の打球はレフトへ大きく飛んだ。この打球を平沼はいつまでも見上げていた。

平成二三年から使用球が変わり、少し滑るようになった。正直投げづらい。

「まっスラ（ストレートが自然にスライダー回転になる）もするし、毎日変なボールを打ってもらって、本当に感謝してます」

彼は投げた後、呟いた。

「現役のときの経験と全然違う。現役のときは人間関係は何もわからないです。自分がお山の大将ですから。世間や周りの人に対してだとか、僕が選手のときの裏方さんを見る目とは違いますね。裏方になっていろんなことが見えました」

目標とする打撃投手は、と聞いたときだった。彼は即座に答えた。

「全然そういうのはありません。打撃投手は自分との戦いですから。目標とする人はいません」

平沼の究極の目標は打撃投手をまっとうすることではない。将来は育成担当の指導者になることが夢なのである。プロ、アマにかかわらず、そんな仕事をしたいと今も願っている。そのプロセスに打撃投手があるが、選手、裏方、コーチ、いろいろな人間を見ることで、性格をつかみ、人間力をつけている。

彼は打撃投手と併行して用具係もやっているから、投げた後はパソコンを使ってボールの交換、注文など用具会社とのやりとりもある。そのすべてが将来の夢に繋がっている。

最後に彼は語ってくれた。

「打撃投手として大事にしてることはない。毎日が葛藤です。いろんなことが頭に浮かびます。肩が痛いときもあるし、苦痛に感じるときもある、楽しいときもある。いつまで投げられるのかという不安もある。どんな仕事でも一生懸命にやる。そうすればいいことがあるだろう。それと、支えは選手です」

平沼は、用具の仕事が待っているからと、グラウンドから急いで姿を消した。三塁側のベンチにはセ・パ交流戦の相手である埼玉西武ライオンズの選手たちがやってきて、柔軟運動を始めていた。打撃ケージではまだ中日の選手が打っている。呉越同舟のグラウンドはいよいよ賑《にぎ》やかになってきた。

追記――平沼は、平成二三年夏に、肘を故障した（ロック）。肘が曲がらない症状である。秋に復帰したが、打撃投手としての引退を決めた。

翌年から用具係専任となって、チームのために働いている。

第三章　投げるのはつらいよ

すべてのスポーツで見られる症状

打撃投手は本当に辛い仕事である。その最大の敵がイップスである。イップスというのはもともとはゴルフの用語で、「精神的な原因でスポーツの動作に支障をきたす運動障害」というのが定義である。ショートパットを打つときに緊張して、腕が動かなくなったりするのが主な症状だが、現在ではゴルフ以外のスポーツでも多く見られるようになった。すでに一九三〇年代から、海外のプロゴルファーのトミー・アーマーがイップスのため引退を余儀なくされた事例が見られる。

ある打撃投手は言う。

「実際ほとんどクリアできないのじゃないでしょうか。ボールが腕から離れなくなりますからね。この苦しさはやった人でないとわからない。監督でもわからないですよ」

体育心理学が専門で、自律訓練法、自己催眠法でイップスを治してきた日本体育大学の楠本恭久《くすもとやすひさ》教授はこう語る。

「今はイップスはどの種目にも見られます。早く言えば、過去のいろんな失敗の経験が、悪さをしている状況です。このため行動の失調を起こします。私の関わった範囲でもソフトボール、体操、ハイジャンプ、ウエイトリフティングで診《み》ています」

ハイジャンプでは、背面跳びのとき、失敗するのではないかという恐怖心から、無意識にバーを握ってしまう。体操では跳馬で、ある女子選手にその事例がある。選手は、名前をコールされたら、手を挙げて、跳馬に向かって走り出さなければならない。その猶予は一分間。だがどうしても足を踏み出せない。そのまま一分が過ぎて失格になってしまった。周りにいる指導者は「なぜ走らないんだ」と注意する。しかし、足が硬直してしまうのである。楠本はその選手に、跳ばなくてもいいから、まず一歩を切って走り出すイメージをひたすら繰り返させることで、症状が消えるようにした。

あるウエイトリフティングの選手は、怖くてバーを引き上げることができないのだという。その選手は、過去に大事な試合の第一プルで、バーから手が離れて失敗したことがあった。いつも挙げている重量なら引っ張れるが、自己記録に挑戦するときに、引っ張ることができなくなる。

野球に近いソフトボールの例は、いくらか打撃投手の参考になるだろう。

ある年に、四国でナンバーワンと目される捕手が鳴り物入りで日本体育大学に入学してきた。ところが最初の練習で先輩投手の球を受けて返球するときに、ワンバウンドになってしまった。自分はちゃんと投手に返せなかったということが、トラウマになって送球ができなくなった。自意識の強い選手だったから、彼女は「四国ナンバーワンの捕手が情けない」という思いにとらわれていたのだ。このとき楠本は、この選手の場合はものの考え方が変われば立ち直れると考え、ときには強い口調で意見した。

「あなたは四国ではいちばんの捕手かもしれない。だがうまい人は他にもいるだろう。九州ナンバーワンも、北海道ナンバーワンもいる。一度失投したくらいで、誰もあなたに失望はしていない」

「そんなにあなたは偉いのかな？　よくよく自分を見つめてみなさい」

彼女も、時間をかけてカウンセリングを受けた。今は元気になって症状も回復した。

「要は過去の経験を上手く修正できればいいわけです。大事なことは心身のリラックス、ものの見方です。やっているうちに本人が症状を意識しないようになったというのが理想でしょう」

楠本の経験によると、イップスにかかるのは、自分の人生にとって大きな局面を迎えたときなのだという。しかもかかる人は真面目な人が多い。ただ日本人の特徴かもしれないが、日本人はあまり自分が悩んでいることを人に言いたがらない。周囲の指導者が心配して、イップスではないかと照会するケースが多い。しかし本人はなかなか認めたがらない。

「カウンセリングもそうですが、もっとオープンになれば〝今俺はこういう症状で苦しんでいるけど、いい方法はないかな〟と話し合える環境になると思うのです」
しかし、現実はなかなかそうはいかない。人に打ち明けられず、一人悩むことも多い。そこにイップスの症状を深刻にしている理由がある。

イップスは、手だけでなく、足、掌《てのひら》、肩など至る所にストレスとして障害をもたらす。打撃投手とて例外ではない。じつはイップスこそが彼らにとって最大の恐怖なのである。イップスにかかると、もうグラウンドに入ることさえ怖いという。
これまでも、たびたびこの症状について触れてきたが、かつて巨人のエースで、引退後打撃投手を務めた選手が、イップスのために、その職から引退しなければならなくなった。彼の事例を通してイップスについて考えてみたい。

追記——なお、イップスについてのさまざまな事例や体験記については、拙著『イップス　魔病を乗り越えたアスリートたち』（KADOKAWA・平成三〇年）をお読みいただければ幸いです。

イップスと戦った打撃投手——横浜ベイスターズ　入来祐作

メジャーにも挑戦した巨人のエース

入来祐作という巨人のエースがいた。亜細亜大学で通算二三勝、本田技研では都市対抗野球で優勝し、橋戸《はしど》賞（ＭＶＰ）を受賞し、平成八年に巨人にドラフト一位で入団した豪腕投手である。身長こそ一七四センチと高くはなかったが、喜怒哀楽を前面に出して、体全体を使って投げる力投型の投手であった。

とくに入来の存在を印象づけたのが平成一三年だった。この年五月八日の広島戦では、広島のエース佐々岡真司と投げ合い、被安打四に抑え、二対〇で完封勝利を挙げている。彼にとってプロ入り初完封だった。闘志をむき出しにして、速球を投げ込む様は、鬼神のようであり、相手もその威圧感に押されてしまった。巨人の攻撃のときは、誰よりもベンチ前に身を乗り出して、手を叩《たた》き、喜びを表した。マウンドに立てば、ライジングボールという、打者の手前で浮き上がる球が持ち味だった。同時に打者のタイミングを外すチェンジアップもこの年に覚え、前半戦だけで八勝を挙げ、オールスターゲームに出場することができた。第一戦では先発投手を任され、二回途中から兄の入来智《さとし》と交代し、史上初の兄弟でのリレー登板も果たしている。

この年はヤクルトの藤井秀悟《ふじいしゅうご》と最後まで最多勝のタイトルを争い、一勝の差でタイトルを逃したものの、一三勝四敗を挙げ、勝率は七割六分五厘でリーグトップだった。一三勝は巨人での勝ち頭《かがしら》だった。

入来は宮崎県都城《みやこのじょう》市生まれの九州男児である。都城市の西隣は鹿児島県、そのため彼は薩摩隼人《さつまはやと》の雰囲気を漂わせていた。彫りの深い、はっきりした目鼻立ちは、南国系の顔立ちで、激しい性格でもあった。

平成一四年七月二五日、甲子園球場で行われた阪神戦での出来事だった。このときマウンドにいた入来は、打者ジョージ・アリアスへ投げたが、ボールは彼の背後に逸れてしまった。一瞬ひやりとする場面である。アリアスは抗議すると、入来はマウンド上で「来い」というように両手で胸を叩いた。これに怒ったアリアスは、入来のもとまで走り、彼を片腕で抱え込み、殴打するという乱闘が起こった。負けず嫌いな入来の気性を物語るエピソードである。まさしく唯我独尊、投手らしい性格の持ち主だった。

後に彼も故障に悩まされ、大きな活躍はできなかったが、日本ハムを経て、メジャーリーグに挑戦したときは大きな話題になった。ニューヨーク・メッツに所属したものの、実績を残せずに解雇、再び日本球界に復帰する。平成二〇年、今度はテストを受けて横浜ベイスターズに入団した。しかし、三試合に登板して、勝ち負けはつかなかった。そのうえ左足首を捻挫、右手首の筋の肉離れと、もう満身創痍《まんしんそうい》で、夏からは二軍暮らしが続いていた。この秋、戦力外通告を受ける。その彼が第二の人生に選んだのが横浜の打撃投手だった。

最初は上手くいった……

平成二〇年の秋に戦力外通告を受けたとき、入来は球界で生き残る道を探し始めた。だが球団も財政的に厳しい時代で、なかなか採用はない。民間企業も受けたが、示された年収は四〇〇万円だった。しかも彼は野球以外の仕事をしたことがない。なんとか球界に残れないかと考えていたとき、横浜のチーム運営部長（当時）だった浅利光博から、打撃投手の枠に一名空きができたことを知らされた。彼は二つ返事で引き受けた。すでに一二月の半ばになっていた。いかに今の時代に野球界に携わる仕事に就くのが大変かを、入来のエピソードは物語っている。

入来がメジャーに挑戦したのは、平成一八年である。前年まで北海道日本ハムファイターズに所属し、ローテーションの柱として活躍していた。日本ハム時代は、楽天戦で延長一〇回を一人で投げぬき一安打無失点に抑えた試合もある（結果は〇対〇の引き分け）。八月には福岡ソフトバンクホークスの杉内俊哉《すぎうちとしや》と投げ合って三年ぶりの完封勝利も挙げた。そんな彼だけに球団も必死で慰留したが、その思いを振り切って、自分の夢に賭けたのだった。

入来はニューヨーク・メッツとメジャー契約したものの、開幕枠でメジャーに残ることができなかった。四月に再度マイナー契約を行い、3Aに所属。その秋に解雇された。

渡米二年目は、トロント・ブルージェイズとのマイナー契約から始まった。契約と言っても3Aではなく、2Aである。だが実際にマウンドに上がれたのは1Aというもっとも下のクラスだった。それでも入来は持ち前の闘争心で這《は》い上がり、好投を続け、2A、3Aとランクも上がっていった。そして、あと一息でメジャー復帰というとき、彼は力尽きた。その秋、再び解雇され、日本へ戻る決意をした。このとき入来は三五歳になっていた。以後帰国してからの選手生活は前述したとおりである。

「もう現役への未練はなかったですね。さんざんやってきた感覚でしたから。アメリカに行ったときも、メジャーで戦える手ごたえを感じることはできなかった。アメリカでは自分が見たことのない凄い人たちが野球をやっていたと思いました。これで諦められたかな」

入来は間違いなく日本球界のスターである。その彼が打撃投手になると知った人たちは、こう陰口も叩いた。

「え、スタッフ？」

そんな声が、たまにではあるが、耳に入ることがあった。そのたびに彼は思った。

「僕はまったく気にしてない。ベイスターズにずっといたわけでもないのに、ここで仕事をさせてもらえるのはありがたいことじゃないですか」

打撃投手になった人の話を聞くと、誰もが最初は上手くいった、と言う。それが二ヵ月後くらいから壁にぶつかり、これは大変な仕事だと実感するようだ。これはこの仕事の一つの特徴である。入来も例外ではなかった。彼は引退した年の一二月に打撃投手に就いたから、秋季キャンプでは投げていない。翌年の春季キャンプで初めて投げた。このときは現役引退した直後だから、球も自分の思いどおりに投げられた。

「とても楽しい仕事だな」

と感じた。ただこのときも打者によっては、「入来さん、球が速いですよ」という声も出るようになった。笑って遠慮がちに言う打者もいたが、中には本気で「速いです」と言う打者もいた。最初は「何だよ」と心の中で反抗していたが、苦情が多くなると、ストレスが体内に蓄積してきた。

中には、入来が投げる場所を「今日は近くねえか」と言う打者もいた。入来も口では

「ごめん、ごめん」と言いながらも、「自分には関係ない、うるせえな」と思わないでもなかった。しかし、打撃投手はそうもいかない。打者に気持ちよく打ってもらう仕事だから、自分が引かなければならない。打者のため、という精神状態でいないといい球は投げられない。

「いろいろ悩みました。悩む要素満載なのですよ。きりがない。裏方に徹しようと思ったら、内面的な部分から変えていかないとできません」

入来は言う。

「今まで怪我以外で苦労することはなかったんですよ。ところが打撃投手専任となると難しかった。速さの加減というのもおかしいですが、これが難しかった」

投手だからストライクを投げることはできる。しかし、速さの加減をしなければ、と頭を働かせることで、今度は手元が狂いだすのである。

たまたま投げたボールが打者の体に行ってしまう。当ててはいないが、あとボール一個ずれていれば、死球になっていた。本来打者を支える仕事をしなければいけないのに、打者に怪我をさせてしまったら、元も子もない。これが続けば打者も怖がるようになるし、自分のボールが速かったために、打者のタイミングがずれたりする。スイングが泳いだり、詰まれば、それも自分のせいなのかと気になってゆく。一方で気持ちよく打たせなければならないという心理的な負担も増してゆく。そんなときだった。

突如、自分でも「あ、おかしい」とはっきりと感じるようになった。打撃投手となって二ヵ月後のことだった。そのおかしさは、今までのような少々のコントロールの狂いではなかった。

「ある日、イップスは突然来ました」

彼はそう語った。

ある日、入来が打者に投げると、球がワンバウンドした。それも自分の足元の近くで、である。あるいは意図するコースとまったく違う方向に投げたりする。ストライクかボールかというコースの差ではない。あきらかにボールとわかる球になった。今までの投手生活で、一度も経験したことのない球筋だった。

「あれ、今俺はどうやって投げたっけ？　となっちゃうわけです。ふつうは足元なんかには行かないですよ。ボールを初めて握った人ならいざ知らず。赤ちゃんや子供が上手く投げられないじゃないですか。あんな感じになってしまう」

そうなるともう症状は止まらなくなった。

「僕は打撃ケージの外に行くほどの暴投はないです。だけどそこに入るかどうかの不安な気持ちはありました。だって、自分の球がどこに行くかわからないもの。投げるときに無意識に動作を気にしてしまうのですよ。リリースの瞬間を過剰に意識して、コースがずれる。おかしいなと思うと、いろんな考えが浮かびだすのです」

リリースのポイントがずれると、当然足元でワンバウンドしてしまう。もう一つの要因は、彼の前にあるL字ネットである。打者によっては、ネットの位置まで指定する人もいる。ある右打者は、このネットのこの部分を、ここに合わせてくれと言う。また、ある左打者は、L字のここに合わせてくれと細かく要望が出る。その一つ一つを丁寧に聞くことで、入来のイップスの症状はさらに酷くなった。

「たぶん心の根本の部分が駄目だったのだと思います。打ちやすく投げるにしても人それぞれですからね」

入来はそう述懐する。少々のボールでも気にしないで打ってくれるバッターもいる。一方で選手もスランプなどで精神的に余裕のないときは、注文が多くなる。打者の言葉をあまり気にしない打撃投手であったら、イップスの症状も酷くはならなかっただろう。

入来は、どうしても打撃投手と打者の短い距離が上手く投げられない。そのため気分転換のために、遠投をやった。とても気持ちよく投げることができた。投げるということの気持ちよさを久々に実感することができた。

だがマウンドに立つと、そうはいかなかった。彼は同僚の打撃投手に、効果的なイップスの克服法を聞いてみることにした。

同じチームに有働克也《うどうかつや》という打撃投手がいる。彼は神戸出身の投手で、関西六大学では二六勝を挙げ、ベストナインにも三度輝いたアマ球界では屈指の投手である。平成三年にドラフト三位で横浜大洋ホエールズに入団、平成六年には八勝七敗を挙げている。開幕投手を二度務め、後に台湾球界を経て、ヤクルトスワローズの打撃投手となった。平成一六年からは古巣の横浜に戻り打撃投手を務めている。入来は、彼のことをこう呼ぶ。

「打撃投手の神様みたいな人。職人です。どんな人にもちゃんと投げることのできる人。すべての仕事を完璧にこなす人。素晴らしいですよ」

有働は打者からの注文に応えるだけでなく、打者の様子を見ながら、「今日はここが調子悪そうだから、ここに投げてみよう」と配慮できる投手だった。彼はスコアラーの仕事も兼ねていたが、それも確実に遂行していた。入来は彼を見るたびに落ち込んだ。

「なぜこの人ができるのに、僕はできないのだろう」

現役時代、炎を出すような鋭い目で打者を睨《にら》む、彼の剛毅《ごうき》な部分は消えてしまっていた。有働にイップスの症状を話すと、彼はしばらく思案して言った。

「入来さん、僕はイップスになったことがないから、何とも言いようがないんですよ」

イップスという症状の得体の知れない深刻さに直面したときだった。

入来がマウンドに上がると、次の打者、その次の打者が待ちながら、彼の投球をじっと見ている。

「打者の気持ちはわかりませんが、〝入来さんは、ちゃんとストライク入るかな〟と内心思っていたのではないでしょうか」

これが有働がマウンドにいれば、打者は気持ちよく打席に入ることができる。入来は、自分を生真面目な性格なのだと分析した。自分で自分を追い込んでしまうのだとも言った。そしてイップスは技術的な問題と同時に、精神的な症状でもあると改めて知った。

また当ててしまうんじゃないか。

こっちに抜けるのじゃないか。

裏方なのに、選手を守らなければいけないのに、選手を傷つけたらどうしたらいいんだ。

最後は、やばい、やばい、どうしよう、その繰り返しだった。この症状は、自分が何で悩んでいるかを明らかにして、その悩みを解決しないと治らないこともわかった。

この二年間の意味は……

入来は、打撃投手となって一年目の四月に腰をヘルニアで痛め、一ヵ月半休んでいる。イップスだけに苦しんだのではなかった。ある日の朝、目が覚めると、起き上がることができなくなってしまった。疲れているのかなと思ったが、背中がまっすぐに伸びなかった。ストレッチをしても動かない。原因は不明だが、毎日ボール拾いもしていたから、腰に負担をかけてしまったのだろう。球場にも行けなかったので、さすがにこの年は解雇を覚悟した。

しかし球団は翌年も契約をしてくれた。彼は肉体的にも怪我と戦っていたのだった。だがヘルニアが回復した二年目は一年目以上にイップスに苦しんだ。そして十分に改善されないまま、その秋に打撃投手を辞めるように通告された。彼の胸中には、せっかくの機会をいただいたのにきちんと仕事をこなせずに球団に申し訳なかったという悔いが残った。自分の仕事で報いたかった。

入来を苦しめたイップスの治療法について彼は語る。

「イップスは病院に行っても治らないですよ。治るものなら皆、行っていますよ。どこの科が担当なのだろう、心療内科かな。イップス科なんてできたらいいでしょうけど(笑)。でも治らないだろうな。要はL字ネットの後ろでびびっているということだから」

入来は球団から用具係として、新たな仕事を命じられた。彼は、誠実に物事に取り組む人間だと球団も知っていたのだろう。

野球界で働くことができるという嬉しさと同時に、用具係がどんな仕事なのかさっぱりわからなかった。最初のキャンプに行くまでは本当にできるのかと不安だったが、いざシーズンが始まると多忙を極め、それも彼の充実感に繋がっている。

今彼は用具係として、多忙な日々を送っている。二軍の合宿所の傍にはグラウンドがある。そこに練習の始まる二時間前に来て、用具などの準備をし、練習中は選手たちの手伝いをする。終わったらグラウンドを確認して、その後ボールの手入れ、ボールはどれくらい使用したか、在庫も調べる。練習のときコーチのノックバットが折れたりすると、それもチェックして新しいものに替える。一年間でこのコーチにはバット何本という予想もし、在庫を確保しているのだ。選手のユニフォーム、帽子、監督・コーチの野球用具、すべてを管理し、足りなければ業者に発注して補充する。

「二軍の練習が円滑に行くように、僕がやらなければいけない仕事の責任は重い。でもとても楽しいですよ。しんどいですが、充実してます」

報道陣が取材のため、グラウンドに立っていた。そのとき目の前をボール籠を押しながら入来が通っていった。そのとき彼は報道陣の一人一人に丁寧にお辞儀をしていったという。皆、彼の謙虚な姿に驚いたが、彼本来の姿はそこにある。剛直なイメージは彼の一面だが、マスコミが過大に作り上げた部分が大きい。

入来は打撃投手についての思いを語った。

「現役の実績は関係ないですね。エースだった入来だから好きに投げていいよ、というわけにはいかない。僕のリズムで投げるわけにいきませんから。〝おりゃ！〟と言って変化球投げるわけにはいきません（笑）。投げられるものなら投げたいですよ」

投げ続けた二年間の意味を、彼は人生にどう位置付けしているのだろうか。

「今まで野球選手としての野球界しか知りませんでした。しかしいろんな人たちが、いろんな持ち場があって任務を果たして、ああいう華やかなプロ野球が成り立っているわけです。ファンは選手の活躍を見て喜びます。だけど選手たちが百パーセント一生懸命に野球ができるのは、周りにいろんな人たちがいるからなのです。打撃投手としてそのひとつの仕事をさせていただき、いい勉強になりました」

現役時代は周りもちやほやし、至れり尽くせりで面倒を見てくれる。成績を挙げていれば、という条件がつくが。要は自分の天下、裸の王様である。だが野球界を離れたときに、当人の底知れぬ苦労が始まる。

「今までの自分の人生をゼロにしなくちゃいけないから、それは辛いでしょうね。僕は横浜ベイスターズにいる限りは、まだ入来さんと呼んでもらえる。でも野球界から離れたら、ただのおっちゃんですから」

入来は、現在（平成二三年）三九歳。用具係専属となった今も、人手が足りないときは、打撃練習に投げることもある。今はごくふつうに投げることができるという。精神的な負担がなくなったからだろうと彼は思う。

二軍投手コーチの川村丈夫がときに打撃投手をやることがある。だがなかなか思うようにいかないようだ。彼は苦笑しながら、入来に話しかけた。

「いやあバッピは本当に難しいね」

入来が現場を離れて思うのは、毎日軽くキャッチボールする感覚で投げられれば、気持ちよく仕事ができるのではないかということだった。足を上げて、反動で腕を振りかぶって投げる。この一連の動作をすべて加減するわけだから、これは想像以上に難しい。とくに入来の場合は力投型の投手だったから、難しさの度合いも人一倍であった。

彼は将来は指導者になれればいいが、これからもどんな形であれ野球界に関わっていけたらいいなと考えている。

最後に入来に現役時代のベストピッチングを聞いた。彼は首を捻《ひね》った。

「もう忘れましたね。現役時代のことはあんまり思い出しませんね」

裏方になって人格が練れたかと聞くと、彼はすぐに言った。

「それはどうかな。周りの人に聞いてみてください」

今日は一時から合宿所傍のグラウンドで中日ドラゴンズの二軍と試合が行われる。バックネット裏にわずかな観客席があるだけの、海辺のグラウンドといった風情だ。試合開始直後が、入来がようやく一息つける時間である。もうしばらくすると、彼の仕事が再び始まる。

入来は、今自分なりの充実した野球人生を歩んでいる。

追記――入来は平成二六年まで横浜DeNAベイスターズの用具係を担当した後、同二七年から令和元年まで福岡ソフトバンクホークスの二軍、三軍投手コーチなどを務めた。

やはり辛かった　ある元打撃投手の告白

ここでもう一人在京セ・リーグの球団で打撃投手を務めた人を紹介する。彼はパ・リーグで中継ぎ投手として活躍していたが、在京セ・リーグ球団にトレードされて、平成七年に現役を終えた。そこで打撃投手を務めたが、一年で解雇されてしまった。彼は打撃投手の難しさについて語ってくれた。

彼は一八〇センチの体から投げ下ろす本格派の投手だった。高校時代は甲子園でも活躍した。だが打撃投手の仕事は予想以上に辛いものだった。匿名で彼は赤裸々に語ってくれた。

「打撃投手は現役時代、大活躍した人はやっていませんが、これはプライドの問題じゃないでしょうか。俺は現役でここまでやったのに、打撃投手ができるわけがないだろうと思う人が多いと思うのですね。凄くプライドが傷つくのでしょう。だからといって打撃投手をやっている方がプライドがないとは言わないですが、そういう人は素直に仕事として受け止めているのではないでしょうか。僕もユニフォームを脱がなくてはならなくなったとき、何が大切かと考えたら、家族なわけです。そうなると収入の問題がありますから、打撃投手の仕事を与えられたことは喜ばしいと思って、僕は受けました。

球団ではユニフォーム組かスーツ組かにまず分けられます。ユニフォーム組には選手、監督、コーチがいて、その次が裏方さんと呼ばれるスタッフです。そこに打撃投手も入ります。割り切っている人は仕事としてやりますが、プライドのある人はぎくしゃくすることもありますね。結構現役時代のプライドは重要になってきますね。

現役時代、練習は投手と野手は別々ですから、打撃投手をじっくり見ることはありませんでした。ですから感想はありません。感想がないということは、彼らは本当の裏方ということです。ただ一生懸命やっている人は、打撃投手のくせにと言われるといちばん頭にくるでしょうね。一流の打撃投手はプライド持たなかったらやれませんから。僕の場合は、子供が小学校に入る頃だった。最後の三年間は満足な成績を残せませんでしたが、父親がユニフォームを着ている姿を息子に見せたいと思ったのです。それも打撃投手を引き受ける理由になりました。正直、世のサラリーマンと比べて給与も悪くない。いざ野球を辞めて社会で何ができるか考えると、自分が関わってきた野球界で仕事ができることは、いちばんいいことに思われたのですね。

ただ実際投げると大変ですよ。結局いいのは一〇〇球投げて一〇〇球ともストライクを入れるのがいちばんでしょうけど。僕はボールを軽く投げてボールを軽く投げてあげることができなかった。そこまで柔軟性というか、フォーム的に粘りがなかったのです。力一杯投げれば、ストライクが入るのです。軽く投げたときに駄目だったのですね。そういう意味で自分は向かなかった……。打ちにくい、ボールが変化する、ストライクが入らない、すべてマイナスポイントです。

僕の担当は二軍の打者でしたから、打撃は技術的に高くなかったので、〝外ばっかり投げてくれ〟というのが多かったです。でも、僕がそこに投げられなかったら、相手も練習にならない。人間ですから顔にも出ますし、舌打ちもされます。当然打者は自分の生活がかかっているわけですからね。ストライクが入らないと、やっぱり難しいところがあります。

嬉しかったことはないですね（笑）。僕は一年間二軍で投げていたのですよ。技術的に一軍のレギュラーに投げる技術はなかったんです。それでも妙な圧迫感がありました。

投げたくない気持ちがありました。いい打撃投手になると、プライベートで選手と付き合ったりするじゃないですか。僕はそこまで行かずに、自分で殻に閉じこもってしまった感がありました。投げることに本当に自信がなかったのです。

でもいくつか学んだことがありました。打たせる球でも打ち損じが多いということですね。ふわっと真ん中に投げても、ぽーんと上にフライが上がったりとか、詰まったりとかしましたね。

今、辞めて思うのは、打撃投手はチームを好きになることですね。投げる相手もそうだし、応援していて選手が打てば嬉しい。まずチームが好きで、チームのために働きたいということでしょう。それには、やはり技術がいちばん必要だと思います。技術があって、精神力です。僕は技術がなかったから、そうなれば自信もなくなります。そういう面で、球団から打撃投手という道をいただいたのに生かせず、申し訳なかったとも思います」

彼はそう真情を吐露した。

打撃投手のことも、球団の査定担当が細かく見ている。数ヵ月おきに、コントロール、スタミナなどをきちんと記録し、打撃コーチなどにヒアリングも行い、毎年秋に査定資料を作成する。それが評価の材料になる。

彼は一年目のオフ、球団から解雇された。理由は、「二軍に打撃投手は要らないから」というものだった。冷たくもなく、温かくもなく、選手の契約更改のようなものだった。彼は「本当であれば、もっとすっぱりと切ってもらってもよかった」とも思う。「おまえの打撃投手の技術じゃ無理だから、クビだ」とでも。そのほうが納得できたと考えている。彼は退団後、古巣の球団に戻り、現在は優れたスカウトになっている。やはり人には向き不向きがあるという事例でもある。

怪我の恐怖

打撃投手を襲う恐怖はまだある。

打球による怪我である。彼らは正規の一八・四四メートルよりも一～二メートル前の距離から投げるため、打球に直撃されることが多い。彼らの前にはL字ネットがあるが、それでも隙間をついて投手返しの打球が容赦なく飛んでくる。L字ネットに直撃する分にはまだいいが、ネットの端に打球が当たると、そこからバウンドして、ネットの裏にいる打撃投手に当たることもある。

L字ネットも完璧な防御にはならない。

また、投げた瞬間に、体が一瞬だがネットから出ることがある。そこにライナーが直撃する。最近も、ある球団の打撃投手の頭部を打球が襲った。打球が当たった反対側の耳から出血し、すぐに入院したが、記憶が吹き飛んでしまい、以後記憶障害に悩まされるようになった。同僚が見舞いに行っても誰かわからない。幼児のような話し方になった。現在は回復したが、打撃投手を辞めたという。

かつてはこんな痛ましい事故もあった。昭和四〇年代の話である。九州にある球場でオープン戦が行われていたが、その打撃練習の最中にアクシデントが起こった。彼はセ・リーグの人気チームの打撃投手だった。L字ネットの横で次の出番を待っていた彼のところへ、打者のバットが折れて飛んできた。その破片が、打撃投手の右目に刺さったのである。彼は右目を失明し、翌年球団を去った。

この投手は抜群の制球力を誇り、主力打者からは、「コントロールがいいので、一球も見逃すことができないから、とても疲れる」と冗談を言われるほど評価されていた。非常に責任感とプロ意識の強い打撃投手だったが、不慮の事故のためリタイアせざるを得なくなった。

顔面亀裂骨折

現在も打球に当たる打撃投手は少なくない。しかし打球を顔面に受けながらも、顔に包帯を巻いた状態で投げ続けた不屈の投手もいる。現在巨人のスコアラーを務めている中条《なかじょう》善伸《よしのぶ》である。彼はもともとは巨人で貴重な左腕のリリーフ投手だった。東北高校時代はエースとして、四度甲子園の土を踏み、三年の夏には二試合連続完封をした投手だ。後に南海ホークス（現福岡ソフトバンクホークス）に移り、中継ぎエースを務めた。

引退後は横浜大洋ホエールズで打撃投手を務めていたが、巨人に嘱望されて古巣で平成一七年まで打撃投手を務めた。横浜時代から数えてキャリアは一五年になる。

平成八年八月末の神宮球場で、彼が村田真一（現巨人コーチ）に投げた打球が顔面を襲った。このときボールがドッジボールのような大きさに見えたという。その瞬間、顔に殴られたような痛みを感じた。頬を押さえ、うずくまっているとき、自分の顔に打球が当たったのだとようやく認識できた。レントゲンを撮ると右の頬、顎の骨が骨折していた。とくに頬は亀裂骨折で、食事をすることもできなかった。医者の診断は全治三ヵ月。体重は一〇キロも減った。だが休んでばかりもいられない。彼は一ヵ月で退院すると、巨人のベンチを訪れた。巨人はこの年、最大一一・五ゲーム差あった首位との差をひっくり返し、リーグ優勝を遂げた。監督の長嶋茂雄が言った「メークミラクル」は流行語になった。このとき顔のギプスはまだ取れていなかったが、優勝のお祝いを述べるために中条はやってきたのだった。このとき打撃コーチは言った。

「日本シリーズの練習で投げてくれないか」

医者は激しい運動を禁止していた。だが、どうしてもチームには左の打撃投手が不足していた。日本シリーズで対戦するのはオリックス・ブルーウェーブで、そこには左のエース星野伸之がいたから、左の打撃投手が必要だったのである。彼は急遽一週間で肩を作り、日本シリーズで打撃投手を務めた。首を動かしても顔面が痛い、投げるときは頬と顎に痛みが走る。そんな中、彼は毎日二〇〇球を投げた。

ただ彼は後々まで打球が当たった後遺症に悩まされた。グラウンドを歩いていても、少しの音にも敏感に反応するようになったし、背後からボールが来るのではないかと恐怖に怯えた。キャッチボールをするときも自分に向かってくるボールが怖かった。投げていても、すべての打球が自分を襲ってくるように感じられた。この不安を取り去るまで三年の月日がかかった。

なおも試練が中条を襲った。ようやく後遺症も癒えた平成一二年七月に神宮球場で打撃練習をしているときだった。二岡智宏《におかともひろ》に投げた後、中条の頭がネットから飛び出した。そのとき打球が、彼の後頭部を直撃したのである。当たった瞬間、大きな地響きがしたという。ちょうど雨が降っていたので、自分に雷が落ちたのだと中条は思った。そのまま意識を失い救急車で運ばれた。診断は頭蓋骨亀裂骨折、一ヵ月は絶対安静で、汗をかくことも禁止された。毎日ベッドで激しい頭痛に悩まされながらも、彼はチームが相手の左投手に抑えられるのではないかと心配で、おちおち休むこともできなかったという。

彼が復帰したのはオールスターゲームの期間中だった。

打球に当たることはマイナスポイントと彼は語っている。いかに打球から逃れるかも打撃投手の重要な仕事なのである。怪我をすることで、打撃練習に穴を空けてしまう。しかもその分を他の打撃投手が負担しなければならない。当然彼らの疲労も濃くなる。それに打者は左投手の練習ができなくなる。絶対に休まないことも打撃投手に求められる要件なのだ。

そのため中条はひたすらチームメイトに「申し訳ない」と詫《わ》びた。

チームメイトはまだ包帯が取れたばかりの彼に向かって、「今度当たったらクビだぞ」と冷やかした。

この年巨人は日本一になり、彼もようやく安堵《あんど》したという。

門田博光という本塁打王がいる。彼は南海、オリックス、ダイエーで生涯本塁打五六七本を残した。これは王貞治、野村克也に次いで歴代三位の記録である。彼の恋人については後に詳しく触れるが、彼がもっとも脂の乗っていた時期が南海時代だった。南海時代の恋人は村上悦雄《むらかみえつお》が務めていたが、彼は通常の距離より三メートル前に出て村上の球を打った。昭和五六年七月、門田は月間最多本塁打一六本（当時）を記録する。ある日、村上が門田に投げたとき、投手返しの猛烈なライナーが飛んできた。門田との距離も近いし、打球も強烈だから逃げることは困難だ。とっさに体を横向きにして逃げたら、打球が背中を直撃した。しばらくは立てないほど痛んだが、村上は歯を食いしばって投げ続けた。

打撃投手は毎日、大きな怪我と隣り合わせで投げ続けている。

第四章　孤高の三冠王　落合博満の恋人

戦後のプロ野球で長嶋茂雄、王貞治引退後の最大の打者は落合博満である。昭和の終わりから平成の初期にかけて、多くの打者が名を連ねたが、スター性、実力ともに、ONに匹敵できるのは、NPBでは落合をおいて他にない。三冠王三回、MVP二回、首位打者五回、本塁打王五回、打点王五回の最強打者にも、彼のために投げ続けた打撃投手の存在があった。落合は、打撃投手泣かせの打者だった。それは独特の山なりの緩い球を打撃投手に要求したからである。これで肩を壊し、イップスにかかり、打撃投手を辞めた人もいる。ここに登場する打撃投手は、その困難にも負けずに、高度な技術を身につけ、落合からの信頼を得た人たちである。落合の栄光の記録を支えた投手の人生を描く。

ロッテオリオンズ時代——元千葉ロッテマリーンズ　立野清広

ボウリングの名手

落合が入団して一年目の頃である。

「寮の納会の日に、中野でボウリング大会やったんですよ。で、隣のレーンで、スコーン、スコーンとストライクを出す男がいたんですね。〝え、誰あいつ？〟と見たら、それが落合さんでした」

ロッテオリオンズ（現千葉ロッテマリーンズ）時代、落合の打撃投手を務めた立野清広《たてのきよひろ》は、そう語る。彼は昭和三二年、宮城県生まれ。昭和五〇年にドラフト四位で東北高校から入団した。秋田出身の落合とは、同じ東北人である。落合は昭和二八年生まれだから、立野が四歳若い。

このとき立野は落合を見て、ボウリングのボールを押し出す彼の手首の強靭《きょうじん》さに驚いた。

その後、落合の打撃投手を務めることになるとはこのとき予想もしなかった。

立野は高校時代、県予選でノーヒットノーランを記録したこともあるが、五年間のプロ生活では一軍での登板はなく、昭和五五年に戦力外通告を受けた。通告の理由は怪我でも故障でもなく、純粋に力不足だった。このとき彼は、二三歳。第二の人生を早くも考えなければならなくなったとき、球団から打撃投手の打診をされた。

「野球辞めても他に何もできることがなかったので、何らかの形で球団に残れればいいなと思っていたんです。二つ返事でお願いすることにしました」

昭和五六年、立野は打撃投手になった。まだ打撃投手として右も左もわからないのに、落合は立野の球を打ちたいと言い出した。この頃、彼は一軍で頭角を現したばかりだった。

並じゃなかった手首の強さ

立野にとって落合の担当となったのは、幸運だった。最初から極端に緩い球を要求されたから、手加減に苦しまなくてすんだのである。適度の打ちやすい球を投げるほうがより難しい。ここまで緩い球だと、立野もすんなりと投げることができた。

「春季キャンプで、名指しというか、打撃コーチに頼んで、〝立野と組ませてくれ〟と言ったみたいです。フィーリングが合ったのでしょうね。〝遅い、とにかく遅いボールでいいから〟ってそこからです」

打撃投手を指名できるのは、レギュラーの選手である。前の年落合は五七試合に出場し、本塁打一五、打率二割八分三厘を残している。才能の片鱗《へんりん》は見せたが、まだ準レギュラークラスだ。そんな彼があえてチームに申し出た。よほど立野と組みたかったのだろう。

落合は、立野のボールを見て、回転がよいこと、フォームに癖がなく、体を開いて投げるので、球の出所もしっかり見えることなどが気に入っていたという。しかもしっかりと腕を振るわりには、球が遅い点も彼の好みにあった。

「本当の投手は、この逆をやらないといけない。見にくいように、出所もわからないようにね」

立野は、苦笑した。ここに現役の投手として成功できない原因があるし、打撃投手として成功できた理由もあった。彼は落合のことを親しみを込めて「オチさん」と呼んだ。落合は立野を「三四郎」と呼んだ。あるときスポーツ刈りにしたら、姿三四郎に似ていたのでそう呼ばれるようになったという。

立野は山なりの緩い球に手こずることはなかった。

「オチさんは、ボール気味の球でも全部打ってくれましたから。どんなところでも平気で打ち返してくれるので、投げやすかった。コントロールについて一切文句を言われたことはありません。速いときには言いましたが。だから助かりましたよ」

この頃の落合は、立野から見たらアッパー気味にバットが出ていた。それが打撃コーチの山内一弘《やまうちかずひろ》と出会って、レベルスイングに変わった。打球も飛ぶようになり、とくに手首の強さがあったから、本塁打を連発するようになった。立野が投げた年、落合は本塁打三三、打点九〇、打率三割二分六厘で首位打者のタイトルを獲得した。昭和五七年には初めての三冠王になった。

立野は言う。

「あの手首の強さは並じゃなかった」

バットは金属のような鋭い音が響いた。しかも緩い球をスタンドに軽々と運ぶ。速い球だと、一、二、三のタイミングで弾き返すことができるが、緩い球ではそれができない。打つ形がよく手首が強くないと遠くに飛ばすことはできない。落合は緩い球が来る間に、ゆっくりと力を溜《た》めて、完璧なフォームでボールを打った。バットコントロールもしやすい。速い球は、そこまで作る間が持てない。彼が緩い球を好んだ理由がそこにあった。

そして立野に毎日今日はどこがよかったか、悪かったか聞いた。彼が尋ねるポイントは肩、腰、膝、体の開きである。

「振りが鈍かったり、バットやグリップが下がったりします。でもオチさんには極端なスランプはなかったです。とにかくフォームをチェックする人でしたから」

落合はとにかく野球には貪欲だった。一度振り出したら、もう止まらない。立野の球を一時間打ち続けることもざらだった。落合は立野が疲れてきても「大丈夫か」とは聞かない。彼を目印に投手ライナーを打つのである。まだ元気なうちは、ライナーが襲ってきても、立野は避《よ》けることができる。だが疲れてくると、反射神経も鈍る。「あ、避けきれない」と思ったとき、打球が体に当たる。このとき落合はようやく練習を終わりにした。逆に言えば、打撃投手を狙うだけのバットコントロールを持っていたということだ。

立野は、イップスにならなかったのは打撃捕手の励ましがあったからだと考えている。彼が投げるたびに、打撃投手の球を受ける捕手が褒めてくれた。

「ボールになったのは、今日はたったの二球でしたね」

そのため自分でもコントロールに自信がつくようになった。

「イップスにはまったくならなかった。逆に何でイップスになるのかわからないですね」

彼はそう語る。

落合が三冠王を取ったときだった。グラウンドで「三四郎、ちょっと」と立野を呼びつけた。怪訝な顔で近づくと、落合はぶっきらぼうに箱を渡した。蓋を開けてみると時計が入っていた。そこには「三冠王達成記念　落合博満」と彫られてあり、裏返してみると「贈　立野清広様」と彫られてあった。ブランドはセイコーのクレドール。薄型の最新式で、長嶋茂雄がコマーシャルで宣伝していた高価なものだった。落合は何も言わずに練習を始めようとした。彼なりの好意の表し方だった。

そんな心遣いも、立野のやる気を高めることになった。

「選手が打っても、評価は選手に跳ね返るだけで、僕らは評価されない。給与が上がるわけでもない。褒めてもらえるわけでもない。ただお手伝いをするだけで、自分で納得するしかない。自己満足ですが、自分たちのことをわかってくれる人がいれば、それがやりがいになりますね」

その後、落合は昭和六一年限りでロッテを去り、中日へ移った。残った立野はその後も投げ続け、平成一五年まで打撃投手を務めた。その後スコアラー専任となり、平成二〇年にロッテを退団した。


立野がプロに入るとき、彼の兄はこう言ったという。

「おまえ、打撃投手なんかやっちゃ駄目だぞ。そんなのやるんだったら帰ってこい」

だが立野は打撃投手になり、その仕事に意味を見出した。落合は中日に行ってからも山なりのボールを打ち続けたが、マスコミはこれを彼流の調整法と呼んだ。しかし、そこにはたまたま立野との出会いがあって、緩いボールで調整するようになったのだった。

立野は打者落合をこう評した。

「あんなバッターはもう出てこないでしょうね」

落合は立野とのコンビで自分なりの練習方法を見つけた。以後彼は、チームを移るごとに立野の幻影を求めて、緩いボールを求め続けることになる。落合の人生のどこかにいつも立野の存在が焼き付けられている。

落合は昭和六二年から中日ドラゴンズでプレーする。彼は誰を自分担当の打撃投手にするか思案していた。キャンプで、中日の五人の打撃投手の球を見ていた。その中で渡《わた》部司《べつかさ》の球が合いそうな気がした。彼の球を実際打ってみて、落合はパートナーに決めることにした。渡部は、落合の要望に応えるべく緩い球の習得を始めた……。

中日ドラゴンズ時代――元中日ドラゴンズ　渡部司

エースナンバーをつけた新人

渡部司は、昭和四四年にドラフト二位で中日に入団している。社会人野球石川島播磨《いしかわじまはりま》重工業を経てのプロ入りだった。このときのドラフト一位は早稲田大学の谷沢健一《やざわけんいち》。渡部も谷沢と並んで即戦力として期待された新人だった。何より渡部の背番号「20」が球団の期待度を物語っていた。それは中日の伝説のエース権藤博《ごんどうひろし》の背番号が、20番だったからだ。だが二年目に三勝を挙げただけで、昭和五三年に引退した。

「球団に打撃投手として手伝わんかと言われたわけです。そこから始まって専属になった」

背番号は「99」。このとき二八歳だった。もともとコントロールには自信があった。現在彼は「渡部野球塾」という少年野球教室を開いているが、遠い過去を探るようにしばらく考えて言った。

「あんまり違和感はなかったね。楽だと思った。打たさないちゅうのは大変だけど、打たすのは簡単じゃと。何も練習せんでもできたちゅう感じですね」

その極意は、自分のペースで投げることである。打撃投手は、打者に打たせなければならない。それには投手と打者、互いに合わせることが必要となる。だが、これを双方が過剰に意識すると、相手に気を遣いすぎてタイミングが合わなくなってしまう。どちらかが、気持ちを強く持って、自分のペースに徹しないと、合わせることは難しい。

そのため同僚の打撃投手にこう助言した。

「そんな気い遣わんと、好きに放りゃいいんだわ。おまえの好きなように放れば打者が合わせてくれる。おまえが合わせようとするな」

投手は打者に合わせようとするから呼吸が合わない。打たせようとするから打てない。ここに微妙な間合いがある。

「俺は人に言われてどうのこうのいうのはなかったね。こっちが投げる球は速くなくてもいいし、めちゃくちゃ変化しなかったら打撃投手はできるんです。自分のペースでいかに投げられるか。それができれば長年持つのですよ」

実際彼は現役時代からあまり物事を気にしない性格だった。人は人、自分は自分。悩んでも何も解決しない、という考えを持っていた。

現役時代のことだ。

金沢球場で行われた大洋ホエールズ戦のとき、渡部はリリーフのマウンドに立った。このとき先頭打者の松原誠に対して初球を腹に当ててしまった。内角を突こうとしたが手元が狂ったのである。相手のエース平松政次《ひらまつまさじ》にも当ててしまった。通常であれば、凹《へこ》んでしまうところだが、彼は投球のスタイルを変えなかった。以後も内角を突いた。

平松に当てた日、大洋のマネージャーが怒って渡部のもとにやってきた。

「何てことをしてくれたんだ！　巨人戦で先発させようと思ってたのに、できなくなったじゃないか」

渡部は頭を下げながら、「次の先発ばらしとるな」と思った。そんなエピソードがあった。

彼はストライクを投げる極意をこう言う。

「打者が打ってくれた球がストライクなんです。打者が打ってくれるところに投げればいいんです。たとえボールでも、ワンバウンドしても、打者が打てばこれはストライク。そういう発想を持たないとね。ストライクゾーンばかりに投げようとしたら難しくなる。投げられるはずはありません」

打撃投手の投げるストライクと、実際のストライクはコースが違うということだ。打者が打ったコースがストライクなのだ。また、真面目な打撃投手は、投げた打者が試合で打てなかったら、自分の責任ではないかと思い悩む。このとき渡部は励ました。

「俺らが一生懸命投げても、練習ではあんだけいい感じで打っとる。試合で打てなかったのは、打てない選手が悪いんじゃ。選手には打てんかったら承知せんぞと思え」

徹底したマイペースである。彼は「ケツまくり」が大事という言葉を使った。居直りという意味である。打撃投手も考えすぎないことである。

そこまで自分のペースに徹しなければ、打撃投手は務まらない、ということなのだ。

落合との出会い

二年目の春季キャンプだった。落合が渡部に話しかけてきた。

「僕に投げてくれませんか」

ここから山なりの球を投げるための練習が始まった。落合は、渡部にゆっくりと放ってくれればいいですからと言った。渡部は、自分で彼の言葉をイメージして、肘と膝の動きを利用して投げてみた。初めて投げる球だから、最初は難しかった。腕は固まり、一〇分も投げると肩が痛くなった。

「やはりタイミングが合わないので、やりだしてからは大変でした。最初は雲をつかむような話だった。落ち着くまで二〜三ヵ月かかりました。それがシーズンに入って六月頃だった。肘と膝の感覚が同時にポンと動いたときに、ボールがすっと行ったんです。ボールは、ストライクゾーンにストンと落ちた。〝あ、この感じだ〟と思いました。それからは何も考えないですんなりと投げられるようになりました」

渡部は、なぜ落合が緩い球を欲しがるのか本人に聞いてみた。投げる自分も納得して相手をしたかったからだ。

「速い球を打とうと思ったら、遅い球を自分のポイントできちんと打てないと、できないと言っていました。速い球は、打ち動作を早くすれば、どんなに速くても打てると。遅い球で、自分のポイントがわかって、これを捕まえて飛ばすことができれば、球は飛ぶと。確かにそうだと思いました。遅い球をちゃんと打てない人は、速い球も打てません」

このとき、落合はちょっとしたスランプに陥っていた。この頃になると二人は冗談も言える仲になっていたから、落合は彼に話しかけた。

「渡部さん、ちょっと考えたことがある。俺の背番号が見えるかどうか見ててくださいよ」

投げながら落合のスイングの状態を見てほしいというのである。振ったときに、彼の背番号6が渡部に見えるかどうかチェックするのである。

「投げるのに必死やのに、背番号見とったら投げれやせんがや」

「いや、そんな言わんと、打ち出しのときに6の数字が見えるか見てください」

渡部が投げてみると、6の数字がはっきり見えた。だが一球目でいきなり言うのも自信がなかったので、二球目も見てみた。やはり6が全部見えた。

「オチさん、やっぱり全部見えるわ」

落合はそこで待ったをかけると、打席を外した。何回か自分でフォームをチェックすると、再び打席に入る。そのとき彼の構えから6の数字が完全に消えていた。落合が渡部の球を振り切ると、打球は鋭く外野に飛んだ。

それまでの落合のフォームは肩が内側に入り込んでいたのだ。そうなるとタイミングがずれてしまう。自分で完璧に捉えたと思っても、ポイントがずれていたのだった。

渡部は、落合には投手ライナーだけは打ってくれるなとお願いした。速すぎて逃げられないからだ。毎年シーズンが終わって年末になると、落合からお礼の印に松坂屋の商品券が届けられたという。

苦しかった体調維持

渡部が打撃投手になったのは二八歳だったから、まだ若かった。疲れても一晩眠ると取れた。しかし、一〇年経つと、肩が痺れて痛さを感じるようになった。とくに春季キャンプがそうだった。現役の投手であれば、徐々にゆっくりと投げ込み、肩を作ってゆく。だが打撃投手は、打撃練習が始まるとすぐに投げなければならない。まだ二月の初旬で寒さも厳しい。当然肩も痛む。若い頃は、投げる前にキャッチボールをするだけで肩もほぐれた。しかし三五歳を過ぎると、肘、肩と複数の箇所が痺れるようになった。

「キャンプのひと月は地獄だったね」

彼はそう語る。ひそかに座薬を入れたり、アスピリン（痛み止め）を常用したりするようになった。さらにキャンプも第二クールになると、朝起きたときに腰が固まって動けない日もあった。横向きのままベッドから起きて、バスルームへ行く。そこには事前にお湯を溜めていた。そこで腰を温め、ようやく立ち上がることができるのだった。

そしてグラウンドに行って、投げる三〇分前に、座薬を入れる。ただ腰を痛めてからは、薬の効果が腰の辺りで止まってしまい、肩まで効き目が回らなかった。

「めちゃくちゃ痛かった。痛み止めはきついほうに行くから、肩には行かなかったんだね」

と渡部は言う。しかし薬を飲んでいること、痛みをこらえて投げていることは、絶対に口に出さなかった。痛めていることがわかったら、もう打撃投手人生は終わりだと思っていたからだ。だが晩年の頃は首脳陣にも知られてしまった。

平成六年、落合は巨人へ移籍した。渡部と組んでいるときに、本塁打王を二回、打点王を二回獲得した。このとき落合は彼を巨人に誘っている。年俸もこれだけ用意すると条件面まで話してくれた。だが渡部は断った。

「行きたかったけど、先のことがね。家族もいるし、東京行って二重生活になると金も足りなくなるし。中日に定年までいたいとも思ったからね」

以後も渡部はマイペースで投げ続けた。その翌年だった。巨人で落合の打撃投手を務める岡部憲章が渡部に相談に来た。どうやったらあの山なりの緩い球を投げられるのかということだった。

渡部は回想する。

「東京ドームの巨人戦のときでした。ベンチにおると裏からマネージャーが僕を呼びに来たのです。巨人のベンチになんか行けるわけがないと思いましたが、どうしても顔出してほしいというから、バックネットの裏を通って行きました。そこで岡部が〝投げ方教えてくださいよ〟と聞いてきたのです。私は〝投げ方は教えられるけど、それより気持ちだよ。いい球投げようと思うからいけんのや。適当に投げや〟と言いました。でも、適当に、というのがなかなかできないんですね」

まさに渡部の持論である「自分のペースで投げろ」というものだった。相手が落合であっても、である。岡部も彼の薫陶を受け、徐々に技術を習得していった。

渡部が投げる相手はパウエルに代わった。パウエルは東京ドームで行われる巨人戦の打撃練習のとき、豪快な打撃を見せた。ビジターチームの最後の順番で打つから、試合開始直前で、お客さんは球場に入っている。

まず内角の球をレフトスタンドの看板に当てる。真ん中に投げた球をセンターバックスクリーンに打つ。次に外角の球をライトの看板に当てる。お客さんは大いに沸いて拍手を送った。

渡部はシーズン中も肘が痛んだが、テープをきつく巻いて投げた。ぐるぐる巻きにして最後をきつく縛ると痛みを感じないからだ。この年は最終試合で中日と巨人が優勝を決める伝説の「10・8」決戦が行われた。異様な空気の中、両チームは試合に臨んだが、彼は周囲の興奮をよそに黙々と仕事をこなした。

「俺はもっとシビアだったですね。自分の仕事は仕事で喧騒《けんそう》は関係ないという感じでした」

彼の気分転換は酒。だが二日酔いで投げたら、ワンバウンドの球を三回も投げてしまった。以来、投げる前の日に酒を飲むのはやめた。

渡部の日にはいつも広島の打撃投手、佐藤玖光《さとうくにみつ》の姿があった。五三歳まで投げたベテランの打撃投手である。二人のキャリアはほぼ同じだった。彼も渡部の存在を気にしており、

「俺は、絶対に渡部に年数を抜かれんように頑張る」

というのが口癖だった。打撃投手は一年間に二万球投げるという。互いに顔を合わせるたびに「おい今年も二万球やな」と言うのが合い言葉だった。

だが平成七年のオフ、渡部は解雇されてしまう。四五歳だった。世代交代か、彼の怪我が酷くなったためか、その理由は定かではない。定年まで投げるため落合の誘いを断ったのだが、球団は容赦なかった。彼は自力で仕事を見つけなければならなくなった。

屋根の吹きつけの仕事だった。鉄骨を組んで、命綱をつけての作業である。一年間で体重が一〇キロも減った。

「この辛さを経験したら何でもできる」

と渡部は豪語した。

渡部が打撃投手を引退する年のオフである。ちょうどシーズンが終わった後に、日本と韓国の親善試合が行われた。そこで彼は打撃投手を務めることになり、イチローを相手に投げた。もう打撃投手を辞めるから好きなように投げたいと考えた。

「肩ぶっ壊れてもええわ。だから勝負したい」

渡部はイチローのベルト付近へ思い切り投げた。コースは内角だったが、ライトポールぎりぎりのところへ打ち込まれた。イチローのバットのヘッドが速くて度肝を抜かれた。スイングが彼には見えなかったのだ。練習の後に、イチローは彼の球の速さに驚いたらしく「あそこまで放ったらあかんでしょ」と言った。このとき渡部はもう自分は辞めるから、勝負したくなったのだと語った。イチローは、

「まだ行けますよ」

と励ましてくれたという。それが彼の最後の思い出となった。

渡部は打撃投手としてのプライドをこう語った。

「打者を助ける、手伝いをしとるというのは表向きの話で、当然のことや。だけど打撃投手としてのプライドを持って、打者を育てることが大事だと思うわけだ。プライドって何かと問われれば、休まないこと、自分に負けないことじゃね。腹にぐっとものを持つこと。

打撃投手は決まった時間にしか投げない。もう三六五日、同じパターンやね。極端に

言うと、二〇分で飯を食っているわけよ。もちろん拘束時間は午後二時から五時頃まである。だけど自分がびしっと投げるのは二〇分。そこへどんだけ自分を集中できるか。そこに楽しみがあったり、励みになるものがないといけない。なにくそ、という気持ちでもいいんだ。遊びすぎても、仕事ができれば誰も文句は言わない。できんかったら何でも言ってくれと思っていた。
どれだけ自分が強く生きていくかということ。周りの言うことも聞かんといかんけど、周りに惑わされると自分がおかしくなる。これは野球だけじゃなく、サラリーマンでも商売人でも同じだと思う」

渡部が球団を去った三年後、広島の佐藤もユニフォームを脱いだ。佐藤は辞めるとき「おまえが辞めたら気ぃ抜けた」と苦笑した。渡部は「野球塾」で子供たちに強い精神力と基礎体力を重視して野球を教えている。即効性のある小手先の技術よりも、長く野球をやれるための地力をつけることが大事だと思うからである。そこには渡部の野球人生を通した考え方が反映されている。

巨人へ移籍した落合は三度《みたび》自分に合う打撃投手を探さなければならなくなった。中日のときのようにすんなりとは決まらなかった。試行錯誤の末に決まったのが岡部憲章という投手だった。

巨人時代――元読売ジャイアンツ　岡部憲章

防御率一位投手

岡部は現役時代防御率一位に輝いたタイトルホルダーである。彼は東海大相模《さがみ》高校から日本ハムに入団、原辰徳《はらたつのり》、津末英明《つすえひであき》らは高校の同期である。東海大相模高校時代は、エース村中秀人の控えのため、甲子園では一試合しか投げていない。東海大学へ進学した原、津末、村中を横目に、彼だけが高校卒業後、プロの道に進んだ。昭和五二年日本ハムにドラフト外で入団する。昭和五六年には一三勝二敗、防御率二・七〇で最優秀防御率のタイトルを獲得した。

そんな彼も昭和六三年に阪神に移籍し、若手への世代交代の影響を受けて、移籍二年目に戦力外通告を受けた。他球団のテストも受けたが不合格で、そのとき声をかけてくれたのが原だった。

「もし野球を続けたいのなら、選手じゃないけど、打撃投手の枠が一つある。おまえがよかったら連絡くれないか。監督にも伝えてあるから」

このとき岡部は、原の厚意に涙ぐんでしまった。

岡部が打撃投手として巨人に入団したのは、平成元年のオフ、年齢は三一歳になっていた。

慣れるまで一年かかった。そして打撃投手となって四年が経過したとき、落合博満が中日から移籍してきた。岡部は彼との出会いをこう語る。

「ほんとに苦労しましたが、打撃投手としての意識がコロッと変わりました」

何度も替わった打撃投手

もっとも最初から岡部が落合に投げたわけではなかった。最初のキャンプでは第一章に登場したベテランの北野明仁が投げたが、彼は極端に緩い球は得意ではない。北野はたちまち軽いイップスの症状が出た。とくに北野はチームの顔とも言うべき打撃投手だから、投げられなくなっては、他の選手にも影響が出てチームに迷惑をかけてしまう。キャンプで限界に達した北野は、オープン戦の始まる頃、落合の担当から外れた。次に八年目の打撃投手が投げたが重症のイップスにかかりシーズン中にリタイアしてしまった。その後、しばらくは打撃捕手やコーチが投げていた。

岡部に声が掛かったのは、その年の夏頃だった。

「よく覚えていないのですが、夏のクソ暑い日でしたねえ」

と彼は言う。ここから落合の打撃投手は固定され、以後岡部が投げ続けるようになった。

やはり彼も、山なりの緩い球を投げるのには苦労した。岡部がふだん投げている速度は一一〇キロ前後だが、落合の要求する速さは八〇キロである。およそ三〇キロの差がある。

「ふつうに投げる分にはいいんだけど、それ以上に遅いでしょ。コントロールをつけるのが難しいんですよ。必ず同じポイントでボールを離さないと、ストライクにならない。ちょっとでも手元が狂うと、頭のほうに行ったり、ワンバウンドしたり。縦か横、どちらかにずれるのならいいですが、横も高低も両方ありますからね」

とくにビジターのときは、一ヵ所で打撃練習を行うから大変だった。ビジターチームは開門した後に打撃練習を行う。観客が見つめる中、一球ボールになっただけで岡部は不安になった。すると二球、三球と連続してボールが続く。観客の好奇の視線に晒《さら》される。しかも岡部と落合の一挙手一投足まで見られている。守ってくれる野手にも打球が行かないから、守備練習にもならない。

前述したように岡部は中日で落合に投げた渡部司に教えを乞いに行った。さらに緩い球の感覚を体で摑もうと、外野で球拾いをするときも、わざとゆっくりした球で返球するようにした。ネットや壁にも何度もゆっくり投げた。

岡部は努力によって、落合の満足する球を投げられるようになった。それまでに三ヵ月の期間を要した。最初の頃は寝るときに、「明日も投げるのか、嫌だな」と思っていたのが、徐々に「明日はこうやって投げてみよう、こうもしてみたいな」という研究心も出るようになった。嫌だなという気持ちと、研究したいという気持ちが半々になり、やがて嫌な気持ちの割合が減り、「明日もオチさんに投げるぞ」という楽しみが強くなった。

落合が教えてくれた打撃投手の奥義

岡部は落合によって打撃投手の認識が変わったと語っている。それはどのようなものだったのか。

落合はまず打席に入ると、ホームベースの位置を直した。岡部を見て、きちんと向いているか確認する。これを岡部にも「どうだ？」と必ず聞いた。きちんと置くと、次にバットでバッターボックスのラインを引く。そしてフォームをチェックしながら構えに入る。

「おい、そこ行くからな。気をつけろよ」

落合はそう言うと、投手返しの練習を始める。ショートゴロしか打たない日もたまにあった。ショートゴロを打ったときが自分でもいちばんいい打撃フォームだと考えていたからだ。投手へライナーを打つのもバットが内側から出るから、スイングを修正するのによかった。

この頃になると、岡部も一〇球投げれば、八球から九球のストライクを入れる自信があったから、落合も彼を信頼するようになっていた。ある日、突然「どうだ？」と聞いてきた。

「おまえたちは毎日投げているから、俺のことはいちばんわかるだろう」

意味が呑《の》み込めずに「はい？」ともう一度尋ねると、落合は言う。

「コーチは後ろで見てるじゃないか。正面で見ているのはおまえらだけだから」

落合に意見するのは、気が引けたが、岡部は何か言わないといけないと思った。

「そのときハッとさせられましたね。それまで打撃投手って、いい球を投げて、ストライクを入れて、いい感じで打ってもらえばそれでいいと考えていた。そうじゃないんだ、僕らは毎日見ているわけだから、調子のいいときも悪いときも見てあげないとって気付いたのですね」

投げることから、打者の立場にも立ってフォームをチェックする。百八十度の考え方の転換だった。だが最初は「大丈夫です」と答えるのがやっとだった。しかし見るように心がけていると、少しずつ落合の状態がわかるようになった。ある日、引っ掛けた当たりばかりが飛んでくる。そのとき落合が「どうだ？」と聞いてきた。

待ってました、と岡部はこう答えた。

「オチさん、いいですか？」

岡部は落合のフォームを指摘した。体が開いていたのである。巨人のユニフォームはズボンに縦のラインが入っている。そのラインがいつもは岡部のほうを向いているのに、ショート寄りにずれていた。これでは体が開いたスイングになり、バットが上手く入らないだろうと思った。

「あ、そうか」

彼はそう言うと、再びベースを直すところから始め、ラインを引いて、構え直した。

「これで、どうだ？」

「これで僕のところに向いています」

落合は、満足そうに頷いた。

「僕の言葉を実践してくれたことは嬉しかったですね。落合さんも〝そうだろ、打撃投手ってそういうことだよ〟と言ってくれました。〝ただ気持ちよく打たせるだけじゃないんだよ〟とも。この言葉は自分の財産だなと思いました」

ときおり落合が故障で打撃練習を休む日があった。そのときは若手に投げる。その選手がどういう練習をしたかったのか、終わってから聞くようにした。

「今日はこういうこと意識してやってなかった？」

その感じたことが当たるようになった。その中で岡部がわかったのは、調子のいい打者は振ったときにバットが短く見えることだった。つまり脇も締まり、鋭いスイングができているということである。逆に調子の悪い打者は、脇が開き、スイングも外から回ってくるからバットが長く見える。

もう一つはスランプに陥っている打者は徐々に猫背になることだった。構えが猫背になると、内角の球が見えにくくなる。そこには疲れや自信のなさが関係しているのだろう。

そんなことに答えられるようになった自分が嬉しかった。

「確かにしんどい仕事です。毎日だしね。でもそこで生きがいややりがいを見つけることなんですね。どの世界もそうだけど、仕事だから楽しくはできないけど、気持ちよく、明るくやりたいじゃないですか」

キャンプでの居残り特訓

落合は巨人へ移籍した一年目に左足内転筋と左腹直筋を痛めた。そのためこの年（平成六年）のオフは完全な休養にあてた。翌平成七年になってもキャンプではリハビリに日々を費やした。ようやく練習できる体になったのが、オープン戦も始まった三月だった。だが落合はチームに帯同せず、宮崎に残って調整を続けた。ここに岡部もトレーニングコーチとともに居残ることになる。この期間はおよそ三週間。落合はウエイトトレーニングはご法度というタイプである。野球選手は野球で体を作る。朝のウォーキングと、ノックを受けて下半身を作る。二月のキャンプのときは、素振りしかせず、結局打撃練習をやっていない。

「オチさん、いつから打つんですか」

「もうちょっと待てや。体ができてないのに打っても仕方ないだろう」

打ち出したのは三月の居残り練習のときからだった。そこからは凄《すさ》まじかった。落合は一時間から一時間三〇分の打撃練習を行った。岡部はこの間、ひたすら緩いボールを投げ続けた。

「何球投げたかも記憶にない」

と岡部が言うほど、過酷な練習だった。このとき落合は宿泊先のホテルで自ら厨房《ちゅうぼう》に入り、岡部らスタッフたちに鍋料理を作ってくれたという。落合家独特のレシピで、材料をコックに用意させ、彼自ら料理した石鍋だった。なかなか美味だったと岡部は言う。

「特訓はきつかったし、楽しいものではなかったけど、勉強になりましたね。チームのことや、他の選手のことも気になりましたけど、僕は今落合さんを任されているわけだからと、頑張りました」

この年の落合は、独自の調整が功を奏した。オープン戦を経験せずに、いきなり公式戦に出るという状態だったが、打率三割一分一厘の成績を残し、四年ぶりに三割を打つことができた。首位打者へもう一歩のところまで行ったが、結局は届かなかった。岡部もタイトルを取ってほしかった、としみじみと洩《も》らした。

平成八年に巨人はリーグ優勝を果たすが、落合は八月三一日に死球を受けて、左手小指を骨折してしまった。しかし長嶋はどうしても落合に日本シリーズに出てもらいたかった。だが落合はバットを振れない状態だ。医者の診断は、無理の回答。日本シリーズは一〇月一九日に始まるが、落合は一週間前から打撃練習をすることにした。それでも医者は早すぎると忠告したが、もう調整が間に合うかどうかのリミットだった。本来は二週間の調整が欲しいところだ。そこで落合は、寮に泊まり込んで二週間分の練習を一週間で行った。それは一日に昼と夜の二度打撃練習を行うという方法だった。

報道陣には、怪我の状態を知らせず、昼の練習しか公開しない。昼に一時間三〇分打つ。午後七時に食事をして、夜は東京ドームから、よみうりランドの室内練習場に車で向かう。乗っているのは落合と岡部らスタッフ三人ほど。夜も落合は黙々と打った。この間、岡部は三〇〇〇球を投げたという。

「たぶん一日三時間は打っていたと思います。あの一週間はきつかったですよ。でも今となると〝あんなことやったんだ。今じゃできないだろうな〟という思いです。他の打撃投手なら潰されていたんじゃないでしょうか」

岡部も緩い球だから投げられたのだろうと考えている。速い球なら肩が持たない。それでもしまいには感覚がおかしくなってしまった。

「腕が固まっちゃうのですね。ボールが四〜五球続くと、落合さんも笑い出すんです。〝ふつうに放ってみろ〟って言って、一〇球くらいふつうに投げてみる。すると肩がほぐれてくるのですね。そしてまた固まる。その繰り返しでした」

落合は日本シリーズに間に合った。その初戦で四番に据わり、四打数三安打一打点を残した。この年を最後に落合は日本ハムへ移籍した。

岡部はその後平成一八年まで投げ、四八歳で球団を離れた。とくに怪我もなかったが、若手への切り替えの時期だったのかもしれない。

打撃投手生活の中でとくに記憶に残るのは、平成六年にいたグラッデンという外野手だった。岡部が内角の厳しいところに投げると怒った顔をした。岡部も負けずに「また行くぞ」とボールを見せる。するとグラッデンは必ず次の球を岡部めがけてライナーで打ってきた。それが上手くゆくと、ガッツポーズをして喜んだ。

彼は喧嘩っ早い選手だったが、試合でヒットを打つと、お金を持ってきた。

「おまえのおかげでヒットを打てたから」

と言い、固辞する岡部にどうしても受け取れというのである。本塁打を打った日はとくに「貰え、貰え」と強く言ってきた。彼が丁重に断ると、コーヒーをごちそうしてくれた。

もうひとつは、同級生の原辰徳の引退試合である。平成七年に原は現役引退を決めた。岡部は落合に投げていたので、もう一人の主砲である原に相対したことはなかった。ただ最後の試合の前に、どうしても原に投げたかった。彼は自分を巨人に誘ってくれた恩人でもある。

岡部が落合に尋ねると、

「俺、今日バッティングやらんから、投げてやれよ」

という返事だった。最初は打ちやすい球を投げていたが、最後の一〇球は全力投球をしてしまった。投手岡部として四番原に投げたかったのだ。原も途中で気付いたらしく、

「こいつ速いな」と思ったようで、軽く笑って、その球を気持ちよさそうに打った。

このときのバットを岡部は記念に貰った。そこに原はサインをして、「ありがとう」と書いてくれた。そのバットは今も家宝として家に飾ってある。

岡部に他の選手に投げた記憶は？　と聞くと、「落合さんのことで頭がいっぱいだっ

たから、思い出せないですね」という返事が返ってきた。それだけ落合に投げることに緊張を強いられたということである。

彼は、現役一三年、打撃投手一七年の野球人生を送った。今は野球と縁のない会社員として生活している。

第五章　熟練の技術、プライド

打撃投手の世界にも、プロ中のプロと呼ばれる人たちがいる。長年務め上げた円熟した技術で打者の活躍をサポートしてきた。そこにはこの道で生きてきたプライドもある。彼らは何を誇りとして生きてきたのか、どうやって技術を磨き上げ、この世界にこの人ありと呼ばれるようになったのか。それを知れば打撃投手の極意がおのずと明らかになるはずだ。

極意は「一、二、三、ぴゅっ」——オリックス・バファローズ　宮田典計

王の本塁打で打撃投手に開眼

長年阪急ブレーブス（現オリックス・バファローズ）と、オリックスで打撃投手を務めてきた宮田《みやた》典計《のりかず》は、「自分の打撃投手のスタートは、あの試合で王さんに打たせた本塁打だった」と奇妙なことを語った。ふつうは「打たれた」という言葉を使う。彼は

「打たせた」と確かに言った。聞き間違いかと一瞬耳を疑って問い返したが、彼は私の問いには直接答えず、転機となった巨人との試合をゆっくりと語りだした。

宮田にとってあの試合とは、昭和五五年一一月一六日に熊本県藤崎台県営野球場で行われた巨人対阪神のオープン戦のことだった。世界の本塁打王、王貞治はこの年のシーズン終了後、正式に引退を表明したが、秋のオープン戦（昭和五〇年代までは秋にもオープン戦が行われていた）には出場し、全国のファンに別れを告げていた。その最終戦が熊本で行われることになった。選手としての王を見られる最後の機会とあって、観衆は二万六〇〇〇人と超満員になり、多くのファンが見守ることになった。このとき宮田は阪神の投手であった。彼は五回の裏にマウンドに立つ。打席には王が立った。沸き起こる観衆の声援。すべてが王に注視されている。彼は抑えたいと思いながらも、ある事情から複雑な心境で捕手のサインを見ていた。

宮田は昭和二九年に兵庫県で生まれている。社会人野球の鐘淵《かねがふち》化学を経て、昭和五〇年にドラフト三位で阪神に入団した。この年の阪神はドラフト一位、二位指名の選手が入団拒否したから、実質的な一位は宮田であった。その後昭和五三年に一勝を挙げたものの活躍できず、一軍と二軍を行ったり来たりの日々が続いていた。そのため宮田にとって秋のオープン戦は翌年の一軍の椅子を賭けた熾烈《しれつ》な競争の場であった。

「次の春のキャンプで一軍に一緒についてゆきたかったんですよ。だから僕は一生懸命投げようと思っていました」

ところが試合は意外な展開となった。阪神の先発はエースの小林繁《こばやししげる》が務めた。このとき彼は登板予定の投手たちに言った。

「おい王さんは最後だから打たせに行くぞ!」

皆で、王に本塁打を打ってもらって有終の美を飾ってもらおうというのである。小林も真ん中高めに緩いボールを投げたが、王のフォームが泳いでしまって、一塁ファウルフライに終わった。三回の裏、阪神の投手は深沢恵雄《ふかざわよしお》に代わっていた。深沢もひたすらまっすぐばかりを投げた。王はレフトへ外野フライを打ち上げたが、犠打となり一点が入った。

さて五回の裏である。ここまで王には本塁打が出ていない。

「こっちは打たせる気はないのです。なにせ一軍と二軍のエレベーター選手やから、もうなんとか頑張らんとあかんと思っているわけです」

藤崎台球場は両翼が九九メートル、中堅一二二メートルと、当時ではもっとも広く本塁打の出にくい球場であった。ここで本塁打を打たせるには、よほど打者と投手のタイミングが合わないと難しい。実際、試合前の練習では、王は一三スイングして一本しかフェンスオーバーしていない。宮田は迷った。自分には一軍の切符がかかっている。簡単に打たれるわけにはゆかない。

宮田は真っ向勝負を挑んだ。一球目は外角へのシュートでボール。二球目は、内角への速球。これを王はファウルした。このとき阪神のベンチから彼に向かって怒声が飛んでいた。

「こら宮田、打たさんか！」

「ど真ん中に投げろ！」

皆真剣な表情で怒っている。彼は打たせる覚悟を決めた。捕手の片岡新之介はミットをど真ん中に構えていた。このとき王にタイミングを取りやすいように、「一、二、三、ぴゅっ」と口に出しながら、球を投げた。しかし三球目はボール。これでカウントはワンツー。ここで再び「一、二、三、ぴゅっ」とまっすぐを投げた。球は内角高めの絶好球となり、王は振りぬくと、打球はライト席中段に飛び込んだ。このとき両軍の選手が一塁側、三塁側に並んで、本塁打を祝福した。王は一塁手の竹之内雅史《たけのうちまさし》、二塁手の岡田《おかだ》彰布《あきのぶ》とベースを回るときに握手をし、ホームベースで花束を受け取ると、その足でマウンドに向かった。打たれた宮田に王は握手し、「ありがとう、頑張れよ」と声をかけた。王貞治最後の本塁打だった。

このとき宮田は「報知新聞」にコメントしている。

「打たれた瞬間、複雑な気持ちだった……。王さんに励ましていただいたのがいちばん嬉しかった」

奥歯にものが挟まったような言い方である。内心は、仕方ないなという気持ちだった。

さて彼は後日、マウンドで王と一緒に写ったパネルを貰ったが、選手たちは口々に「よかったなあ」「記念になったなあ」と喜んでくれた。だが宮田ははっきりと言った。

「俺は複雑や！」

以後、彼はこの試合について聞かれるたびに、「俺は打たしたのです」と言い続けた。だがこれが思わぬ副産物をもたらした。「一、二、三、ぴゅっ」というタイミングで打たせることが、後の彼の打撃投手として原点になったのである。日本一広い球場で、しかも絶対に本塁打を打たせなければならない状況で、きれいな本塁打を打たせたことは、打撃投手としては勲章だった。

不惑の本塁打王　門田博光

宮田は昭和五六年阪急にトレードされると、五九年に戦力外通告を受けた。実働は三六試合に登板し、一勝一敗、防御率は五・〇〇だった。そのときに球団から打撃投手への転身を打診されたが、彼はこう語る。

「選手としては使い物にならなかったということでしょう。ただコントロールはよかったですから、打撃投手として新たにドラフトされたようなものです」

まだこの時代は、チームに専属の打撃投手は少なかったので、現役のときも宮田は一軍の練習に手伝いに行かされた。そのため投げることに慣れてもいたし、監督の上田利治が宮田の腕を買ってくれていたので、よく練習に呼んでくれたのである。それは彼には嬉しいことだった。しかも打者は宮田の投球を喜んでくれたから、自分ではやれると考えていた。昭和六〇年、三〇歳のときだった。以後阪急の福本豊ら一流打者に投げ続けた。

そんな彼の前に豪傑の本塁打王が突如、移籍してきた。南海ホークスの本塁打王、門田博光である。平成元年、阪急がオリックスに球団譲渡された年だった。

門田は壮絶な打者だ。昭和五四年のキャンプでアキレス腱《けん》を断裂、一年後復帰すると、四一本の本塁打を打って復活。昭和五六年、五八年には本塁打王のタイトルを獲得した。彼の身長は一七〇センチ弱。どっしりとした下半身の強さで、弾丸ライナーでライトスタンドへ打球をぶち込んだ。空振りしても、相手投手は肝を冷やした。振ったバットが地面に当たると、真っ二つに折れる。〝空振りで銭の取れる男〟。それが彼の凄さだった。移籍する前年の昭和六三年には四〇歳でフル出場、打率三割一分一厘、本塁打四四本、一二五打点を記録し、本塁打王、打点王のタイトルを取り、ＭＶＰにも選ばれた。彼の通算本塁打五六七本は史上三位の成績である。

宮田は、門田の担当になった。

「この人がいちばんしんどかった」

彼は述懐する。この頃のオリックスの打撃投手は、一八・四四メートルという正規の距離から投げていた。メジャーで必ず計測して一センチの誤差もなく投げさせられた。それはどこの地方球場に行っても同じである。ただ打撃投手はマウンドの上から投げることはない。平地からの一八・四四メートルの距離はきついものだった。門田は、この距離から全力投球で投げるように求めた。

「何キロで放ってくださいと言うのじゃなくて、思い切り放ってくださいと言うのです。それを五分くらいまとめて打っていました」

門田は自分が速い球に対応できたら、あとはどんな球を試合で投げられても大丈夫と考えていた。実際に門田は試合で緩い球が来ても、きちんと自分のフォームで打つことができた。ただ速さを求めるあまり、打撃投手の全力投球でも物足りない。自らホームベースを持って、さらに前にやってくる。そこから打つ。南海時代は、打撃投手との距離が半分ほど縮まったという伝説が残るほどで、それほど速い球に向かっていった。

宮田は投げるとき体が三塁側に開くから、左打者の門田には投球がよく見えた。思い切り右足を踏み込んで、引っ張りたい門田にはもっとも打ちやすい投手だった。宮田も言った。

「僕は絶対に当てませんから思い切って踏み込んでください」

今宮田の右肘は、外に湾曲している。門田に全力で投げていたために、肘に負担がかかり、捻《ねじ》れてしまったのである。

「門田さんのときは体にガタが来ました」

彼は苦笑する。毎日投げるものだから、肩、肘に湿布を貼っていた。当時はアイシングの考えも普及していなかったから、肘、肩を氷で冷やすこともなかった。疲労はいつまでも残った。

宮田は門田の打撃の特色を語った。

「たぶん本塁打を狙わなかったら打率四割くらい打てるのじゃないかと思います。一回ね、門田さんが本塁打打ったとき、次打者のブーマーとハイタッチしたのですが、このとき門田さんの右肩が外れたのですよ。もともと脱臼癖があったから、強いタッチで右肩が外れてしまったのです。それでバットを思い切り振れなくなりました。以降、ほとんど片手で打つようなスイングだったのですが、すべて芯でミートして、ライナーでスタンドに入るのですよ。この人、全力で振り回したらどこまで打てる人だろうと思ったことがあります」

このとき、門田は右肩を包帯で巻いていたが、試合に出なければいけないので、打撃練習を行った。片手だから、力を入れて振るとバットが手からすっぽ抜けて、お客さんに怪我をさせてしまう。

「宮田君、今日はそんなに振らないからね」

そう言いながら、左手を軸にして、当てる打撃に徹した。それでも鋭いライナーで打球は飛び、フェンスを越えていった。

「この人、自分の打とうと思ったところに自在に打てるんやろうなと思った」

と宮田は言っている。

成功の鍵は自分主導

宮田は一六年間投げ続けたが、最後に悟ったことがあった。それは自分主導で投げることだった。打撃投手は試合前、一日二〇分から二五分投げる。時間にしたら、とても短い。だが、これが三日、四日、五日と続いてゆくと、体のあちこちが痛み出す。毎日、同じ球を投げることがいかに苦しいかということだった。しかも宮田は性格的に、人の言葉に敏感なタイプなのだという。それでも彼はイップスにかからなかった。その理由はどこにあったのだろうか。宮田ははっきりと言った。

「それは打者主導でなく、自分主導で投げることです」

この鍵が、王に本塁打を打たれた「一、二、三、ぴゅっ」というリズムにあるという。

このタイミングの体得が後々まで彼の人生を助けたのである。

打者という相手主導になると、彼らにタイミングを合わせないといけない。これをすっぱり捨てて、自分主導にしてしまうのである。こちらが投げるタイミングに、打者が合わせるようにする。そうすれば、打者も打撃投手のリズムで、ごく自然に打つことを覚えてくる。

その最高のリズムが、「一、二、三、ぴゅっ」で、投げることである。

「打つのは関係ないのです。こちらが一、二、三で投げれば、相手もリズムに乗るんです」

あくまで自分中心に行く強さを持つことが成功する秘訣である。打者の顔色を窺《うかが》って、主体性を失ってゆけば、いずれ投げることもままならなくなってくる。

宮田は投げた後も一人球場に残って試合を見た。自分が投げた打者が今日はどういう形で打っているか気になったからだ。そのうち試合のビデオを撮る仕事もするようになって、自然とスコアラーも兼ねた。スコアラーの役になると、席もいい場所になる。相手投手の配球もチェックして、どういう球を打ったか、打てなかったかを知って、翌日の打撃練習での参考にした。

実はホームランバッターだったイチロー

イチローの恋人と言えば、第一章で述べた奥村幸治がいるが、彼がチームを去ってから、宮田が担当していた時期がある。イチローがメジャーリーグに移籍する前の二年間である。このとき彼は七年連続首位打者になっていたから、もっとも脂の乗り切った時期と言えるかもしれない。平成一一年からである。

宮田も、奥村と同じように「イチローは本塁打王になれるパワーを持っている」と断言する。

ある年、巨人とのオープン戦が行われたときだった。オリックスの本拠地グリーンスタジアム神戸（現ほっともっとフィールド神戸）で、試合前のアトラクションとして、イチローと松井秀喜の本塁打競争が行われることになった。この球場の広さは一二球団でもトップクラスで、なかなか本塁打の出にくい球場である。イチローの打撃投手は宮田が務め、松井の打撃投手はコーチが務めた。

ただこの日は雨が降っていた。ボールもかなり滑っていたから、正直投げにくい状況ではあった。宮田は時間の制限もあるだろうから、速いテンポで投げたほうが、多く打てるだろうと考えた。だが速い間隔で投げすぎたものだから、イチローはリズムに乗り切れず、三本しか打てなかった。一方松井は五本打って、なんとか勝つことができた。

だがイチローはその後で言った。

「僕は絶対に勝てました」

宮田は、自分の責任だなと思い、一〇秒に一投げとか、もっとゆっくり投げてやればよかったと後悔した。この頃のイチローは打撃練習では、グリーンスタジアム神戸のスタンド中段まで飛ばしていた。通常では外国人選手が叩き込む飛距離だった。

「イチローは当てるときに力を入れますから、無駄な力がどこにも行きません。ポンとバットに乗って打球が行く感じです。だから本塁打を打つ気になったらいくらでも打てると思います。奥村さんが言ったように、本塁打に徹すれば松井よりも打てると思います」

しかも驚いたことがあった。

「彼の長所はタイミングを三つの場所で取っていることです。ふつうの打者は足だけ、手だけと一ヵ所です。イチローは、足、手などで相手投手に合わせていきます。私たちがグラブで自由にボールを捕るように、彼はバットを自在に動かし、来た球をどこでも芯に当てることができます。私たちは捕球するとき、平面でボールを見ます。彼は打っている自分を、また別の自分が見ている感覚があるような気がします」

イチローはふだんの打撃練習でも、早めにタイミングを取ってみたり、前のほうに立ってみたり、ベースの近くに立ってみたり、後ろに下がったりといろいろな場所で打とうとした。宮田もコントロールが良かったから、わざと外角のホームベースを掠《かす》める球、ボール一個外した球を投げた。イチローはじっとコースを見ている。

「おーい、ストライクとボールのコースわかっているか」

宮田が尋ねると、彼はあっさりと答えた。

「全部わかっています」

そんな遊びをしたこともあった。

宮田は一年間、イチローの担当をしたが、二年目には査定の仕事が専門になった。もう打撃投手ではなくなった。だが、イチローが宮田の球を打ちたいと希望した。イチローは社長に直談判《じかだんぱん》して、翌年も宮田がイチローに投げることになった。その年を最後に彼は渡米し、宮田も査定の仕事が本業になった。

今でもイチローの凄さを思い出すときがある。宮田は打撃投手の傍ら、スコアラーも兼ねていたから、試合前に資料を整理してミーティングに出ようとした。そのときイチローに、直近の三連戦で先発の予想される投手のデータを渡そうとした。だが、イチローはこう言った。

「その次の対戦相手のデータをください」

彼の頭の中では、これから対戦する相手の予習は終わり、その先の相手を見ていたのだ。

宮田の打撃投手としての最後の機会は、平成一二年一一月に行われた日米野球だった。このとき来日したメジャーリーグ選抜は、日本選抜を五勝二敗一分で下したが、宮田は練習前にバリー・ボンズに投げた。彼はメジャーリーグでMVP七回受賞という最多記録を持ち、シーズン七三本塁打という年間最多本塁打記録も樹立した。宮田が驚いたのは、彼の本塁打を打つ力ではなく、ヒットを打つ技術だった。打撃捕手も後ろで構えていたが、宮田が投げても打つ素振りを見せない。これは見送るのだなと思っていると、突然ミットの手前でバットが出て、鋭い打球を飛ばすのだった。素早い回転のあるスイングだから可能なのだなと彼は思った。

「記念に投げましょうと、私はボンズに放ったのです。それが最後の打撃投手の仕事でした」

現在、オリックスの査定・スコアラーグループ副部長の彼は、日々チームの試合を見ることに余念がない。試合のいろんな場面で選手のプレーに点数をつけて、秋に年俸の資料を作る。打撃投手で生かされた緻密な技術は、今の業務にも生かされ、陰の世界からチームを支えている。

荒くれ外国人に投げた男――元ダイエー、中日　坂田和隆

暴れ外国人、バナザードに投げて肝が据わる

坂田和隆（四八歳）は現在は福岡県粕屋町《かすやまち》にある「ＰＢＳ野球塾」で塾長を務めている。元プロ選手が指導陣に名を連ね、なかなか盛況のようだ。坂田は、中学生、小学生の受講生には「挨拶」「言葉遣い」の大切さを説き、ピッチングマシンなど機械を使う打撃練習よりも、古典的な素振りを大事にさせる。体力をつけ、人間としても大きく成長させるのが目標である。

坂田は九州産業大学では通算一六勝、昭和六〇年に南海ホークスにドラフト五位で指名され、入団した。六三年のオフに引退するときに、当時の監督だった杉浦忠《すぎうらただし》が打撃投手をやってみないかと話をくれたのである。ちょうど南海がダイエーに球団譲渡された年だった。

ここで最初に担当した打者がトニー・バナザードであった。プエルトリコ出身でスイ

ッチヒッターの内野手。現役メジャーリーガーとして、前年の昭和六三年に南海に入団したが、すぐに二八試合連続安打の外国人連続安打記録（当時）を達成し、周囲の度肝を抜いた。本塁打二〇本、打率三割一分五厘を残してたちまち南海の主力打者になった。二塁手としての守備も抜群で、ファインプレーで何度もチームの危機を救った。ラテン系の人間だったから天性のリズム感があったのだろう。

だがこの男、野球の技術は一流だったが、どうにも素行が悪かった。いや悪すぎた。短気な性格というだけでは説明がつかないほど、乱闘が大好きだった。一年目には八月、九月の二ヵ月で三度も退場処分を受けている。判定を不服として、球審に暴言を吐くのはまだましなほうで、無関係な選手にも暴力を振るう。

近鉄戦では、相手投手の加藤哲郎《かとうてつろう》がチームメイトのジョージ・ライトに内角攻めをした。このときベンチから飛び出したバナザードが、加藤に暴行、すぐに退場を命じられている。

さらにはロッテ戦では投手コーチと乱闘。翌、平成元年も日本ハム戦で相手投手がチームメイトの外国人選手に死球を与えると、マウンドで大乱闘が始まった。ところがバナザードは投手ではなく捕手の若菜嘉晴《わかなよしはる》と乱闘を始め、グラウンドの二ヵ所で騒ぎが起こるという珍しい光景となった。

それだけではない。ある試合、一打サヨナラの場面で前の打者が敬遠され、相手投手はバナザードに勝負を挑んだ。彼は面子《メンツ》を潰された格好になったが、サヨナラヒットを打ち、試合は勝った。しかし、彼は一塁ベースを踏むと、そのまま相手投手へ突進したのである。そんなユニークな外国人選手だった。

坂田はバナザードに投げたのだが、とにかく要求が細かい。しかも彼は口許《くちもと》に髭《ひげ》を蓄え、目つきも鋭い。それだけで相手チームも震え上がる形相だ。

「真ん中低めに投げろ」

と指示する。しかし、まだ打撃投手になったばかりの坂田は打者の要求に沿うだけのコントロールができなかった。違うコースに投げていたら、案の定バナザードは怒り出してしまい、バットを地面に叩きつけ、その場で真っ二つにへし折ってしまった。さらに気にいらないと、バットをホームベースに思い切り投げつける。これには坂田も度肝を抜かれてしまった。気にいらなければ、途中で膨れて打席を外してしまう。そして練習の最後に、突然バットを振り出して、別の打撃投手に「打たせろ」とやってくる。

ある打撃投手が「もう終わったじゃないか」と言うと「もっと、もっと、カモン」と言う。見方を変えればプロに徹した男だった。

「いや大変でした。自分も投げたくない日がありました。日本人だったらよいですが、外国人ですから意思の疎通もなかなか……」

ふつうの打撃投手なら、ここでイップスにかかってしまうところだ。

「やはりここ（と胸を叩く）で負けたら長くできません。選手以上に気持ちを強く持っていないと。毎日投げるから、逃げられませんからね。練習の直前に、酒飲んで投げる人もいましたね。緊張するからです。そういう人たちに僕らは声もかけられなかった。やはり自分で戦ってクリアしないと」

チーム最大の荒くれ男バナザード。しかし坂田は腹を据えた。これ以上の難物はいないと開き直ったのである。それが以後の一八年間の打撃投手を続けるバネになったのだから、打者との巡り合わせは不思議なものである。禍《わざわ》い転じて福となすのよい例である。

「ああいう打者に投げていたから、以後はどんな打者に投げても楽でしたね」

ただ坂田も認めているが、暴れてでも自己主張するだけあって、成績への拘《こだわ》りは尋常ではなかった。坂田が彼に投げた年は、本塁打三四本、打点九三と、主砲門田博光が抜けた後を十分に穴埋めした。バナザードは陽気で天真爛漫《てんしんらんまん》な男である。奔放だから怒ったら手がつけられないが、本塁打を打つと、ベース一周した後、ホームでヘルメットを右手でカツンと叩いてファンにゼスチャーした。

「凄い打撃でしたね。とにかく勝負強かった」

坂田はそう述懐する。以後、彼は打撃投手の仕事を続けていった。

「三年乗り切ればどうにか行けますよ。投げていて気持ちに余裕ができますからね。三年目の壁は技術的なものです。その次に来る壁は精神的なものです。投げる打者にもよりますが、レギュラーを担当することで、打者が三試合も、四試合もノーヒットだと投げるのが嫌になるのですよ」

秋山幸二の打球

坂田はベテランに達した秋山幸二にも投げた。秋山は平成五年オフの大型トレードで西武ライオンズから移籍してきたのである。

移籍する前年の秋山は、九年連続で三〇本以上の本塁打を打っていた球界のスラッガーだった。本塁打王一回、ベストナイン八回を受賞している。当然ダイエーでは主砲として本塁打を期待されていた。ところが西武球場と違って、福岡ドーム（現ヤフオクドーム）は、両翼一〇〇メートル、中堅一二二メートル、しかもフェンスの高さは五・八メートルと尋常でない広さを誇る。西武球場と比べると両翼は五メートルも長い。フェンスも二・六メートル高い。ここを超える打球を打つことは困難だ。移籍一年目、彼は二四本の本塁打しか打てなかった。

坂田は言う。

「じつは福岡ドームではフェンス直撃がものすごく多かったのです。西武球場なら本塁打なのに。おそらく四〇本は打っていたでしょう。そこから秋山さんの打撃が変わっていきましたね」

秋山の打球はゴルフで言えば、三番アイアンである。ライナーで打球が飛び、途中から勢いがついて一気に伸びる。打球の角度は低いから、どうしても五・八メートルのフェンスに当たってしまう。投げる坂田も自分のせいのように悩んだ。

「惚《ほ》れ惚《ぼ》れする打球が入らないのですよ。やっぱり本塁打が出ない。私も嫌でした」

それから秋山は腰を痛め、ヒット狙いの打撃に変えた。かつての目を見張る本塁打は影を潜めた。秋山の練習方法も独特だった。坂田は、彼が二〇〇〇本安打を打ったときも投げていたが、秋山は彼に肩口から入るカーブを要求した。

「変化球しか打たないのですよ。だから難しかった。カーブも肩口に投げる練習をしました。それは体を開かないで打つ練習をするためでしょう」

秋山は軽く打っているようで、打球はものすごく飛ぶ。彼の体は、腹筋、背筋など筋肉が素晴らしく発達しているのである。

坂田はそんな大打者を相手にしても肝が据わっていた。打者が打てなければ打撃投手は悩むものだ。だが彼はそう感じなかった。

「僕は打てないほうが悪いと思っていました。僕がストライクを投げたら打たんほうが悪いくらい思わないと続かないです。あんまり打者の顔を見ても駄目ですね。とくに変な当たりをしたときに顔を見ない（笑）。やはり開き直るしかないですね」

辛かったのはビジターの球場だった。相手チームの本拠地だから、当然野次はきつくなる。打撃投手へも例外ではない。ボールが続くようだと、すぐに野次が飛ぶ。

「しっかり投げんかい！」

そんな戦いに耐えて、打者からの信頼も勝ち得てゆく。彼が嬉しかったのは、打者がヘルメットを被らないで打席に立ってくれたときだった。自分の投げるボールを信用してくれた瞬間だった。

「脱いでくれたら、あ、自分を認めてくれたのだなと思います。危なかったら被りますからね。とくにレギュラークラスがそういう態度を取ってくれたときは嬉しかったですね」

坂田は平成一二年限りでダイエーを去った。ダイエー時代の最高の思い出は平成一一年に日本一になったことだった。とくに南海時代からの弱さを知っていたから、嬉しさもひとしおだった。

中日を経て、イチローの専属へ

坂田の新しい職場となったのは中日ドラゴンズだった。平成一三年から彼は中日の打撃投手として投げることになった。かつてダイエーで打撃コーチをしていた水谷実雄《みずたにじつお》が退団後、中日の打撃コーチとして在籍していたのである。彼が坂田の球を買っていたので、中日に誘ったのである。中日では山﨑武司、タイロン・ウッズ、福留孝介《ふくどめこうすけ》らに投げた。中日時代、今でも心に残っている言葉がある。監督の星野仙一の参謀を務めた島野育夫が話した言葉だ。彼はよく選手やコーチにこう語った。

「打撃投手の人たちがいちばん大変なんだぞ。皆、感謝の気持ちを持って打つんだ」

島野は、平成一九年病のため死去した。坂田の中日での仕事もこの年までだった。退団した理由は、故郷に残した家族の病気のためであった。名古屋に単身赴任していた彼は、故郷の福岡に戻ると、「PBS野球塾」を始めた。これで打撃投手人生も終わったはずだった。ところが翌年（平成二〇年）思いがけない誘いがあった。シアトル・マリナーズにいるイチローから、人を介して自分に投げてくれないかと打診があったのだ。

「私も名古屋にいたこともあったし、イチローも愛知県出身じゃないですか。それで共通の知り合いがいたわけです。メジャーリーグの試合は九月いっぱいで終わりますから、オフシーズンの間、日本での打撃練習で投げることになったわけです」

期間は一〇月から年明けの二月までの五ヵ月である。主にオリックス時代の本拠地だったグリーンスタジアム神戸で貸し切り状態で行うが、イチローのスケジュールによっては東京でも行う。彼は元日も練習するので、そのときは名古屋で練習する。坂田が投げる時間は最低でも四五分。長いときは一時間三〇分から二時間も投げる。中日で打撃投手として投げていた頃よりも長い時間だ。

「一時間投げたとしたら、球団にいたときの三日分を投げたことになります。もう体もやばいときがあります。ただ日本では僕の球しか打たないので、怪我もできません。控えの投手がいませんから」

初めてイチローに投げたときは、テストも兼ねて三日間投げた。イチローは彼の球をひたすら打った。嫌であれば仕方がないなとも思っていたが、練習終了後に「これからも投げてください」という答えが返ってきた。これがテスト合格の知らせだった。

イチローに投げていると、三〇分で終わる予定が四五分に延びたりもした。このとき彼は坂田に言った。

「まだ打ちたくなる球を投げてくれますね」

練習時間が長くなる理由は、坂田の球にあった。イチローはこうも言った。

「坂田さんは僕が振るところに投げるからいいのですよ」

彼の打球は、多くの打撃投手が指摘するように、一日で五〇本から六〇本は柵越えした。ただ投げるとき、とくに工夫するといった配慮はあまりない。

「気を遣い出したら投げられないです。とにかく当てることについては凄いの一言です。どんなに形を崩されても当てますからね。イチローに限って言えば、ふつうに投げておかないと、こっちが考え出したらおかしくなります」

坂田も速い球を投げて、振らせることでなまったイチローの体を目覚めさせるように努めているという。オフの間打ち続け、渡米間際の二月になると、バットとボールがくっ付くような感じで打球が飛んでゆく。バットとボールの接する時間が長くなるのだ。そうすると今までよりも打球の質がよくなってゆく。投げるうちにイチローの些細《ささい》な変化にも気付くようになった。重心が低くなっているから、飛距離を追い求めているのだろうかとか、打席をベース寄りに変えたとか、少しずつマイナーチェンジをしていることもわかった。

「シーズン中、重心が低くなっていましたね」

イチローは、「よくわかりましたね」と答えたという。最近は、右足の踏み出しが、ホームベースよりのラインを踏むほど踏み込んでいるという。それだけ思い切り打っているのである。

そして二月も終わる頃になると、「いい打撃練習をさせてもらいました」と言って日本を後にする。半年経ってオフになると、「おかげさまでまた今年も打てました」と挨拶して、日本での練習が始まる。

平成二三年のイチローは例年に比べると調子がよくない。坂田も気が気でなかった。とくに五月は不調だったから、彼も凹《へこ》んでしまったという。

イチローはどんな表情で日本に戻ってくるだろうか。できれば「よかったですね」とねぎらいの言葉をかけてあげたい。今年は達成できなかったが、シーズン二〇〇安打もあと何年かは狙ってもらいたい。

坂田は打撃投手として大事にしてきたことを語った。

「やはり投げた後に打者とコミュニケーションを取ることでした。〝今日、俺の球はどうだった？〟とか〝今日は昨日に比べてすごくバッティングがよかったね〟とか、しっかりとした意思疎通があれば、そんなに苦労はありません。それくらいですかねえ。後は自分が勝つしかない。マウンドに立つ恐怖心は私もわかります。でも自分がプレッシャーを破ってゆくしかない。これだけはね」

九月が終われば、もうイチローとの二人きりの練習が始まる。すでに彼との練習は四年目になろうとしている。

俺はプライドと意地で投げてきた――元ダイエー、中日　松浦正

南海ホークスから、ダイエーホークス、そして中日ドラゴンズで二二年打撃投手を務めてきた松浦正《まつうらただし》（五五歳）は冒頭にこう切り出した。

「俺、ちょっとしたプライド持ってたのよ」

松浦はそう笑うと、テーブルにあったビールのジョッキを飲み干した。平成二三年七月初旬の昼下がりだった。

「ほら、見ろよ」

彼はポロシャツから出た右手をテーブルに置いた。彼の右腕は、外にゆるやかに湾曲していた。投げすぎで肘が本来曲がる向きとは逆に曲がっていたのだ。

酒豪の打撃投手、酒臭い息を吐きよれよれの足で球場にやってきても、L字ネットの前に出たら、ぴたりと動きが定まる。酔眼から鋭く光る眼に豹変《ひょうへん》する。そこから突如生き返ったように、生きのいいボールを投げ出す。それが松浦という人間だ。ソフトバンクのある打撃投手が言った。

「あのおっさん、毎日酒飲んで球場来るけど、いざ投げ出すと球が生きとるじゃわ。ほんまのプロやったねえ。この一球おろそかにせんぞ、という気概がむんむん漲《みなぎ》っとったわ」

まさしく「あぶさん」の打撃投手版だ。そんな豪傑の足跡を辿《たど》ってみよう。

松浦は昭和三一年に福岡県北九州市で生まれ、小倉《こくら》工業高校を経て、昭和四九年に中日ドラゴンズにドラフト五位で入団した。五四年に南海に移籍、五九年に引退した。実働六年で三五試合に登板して一勝一敗の成績が残っている。

「二軍では結構投げさせてもらったんだけどね。正直現役に未練はあったわな」

南海に移籍し、来年はプロ一〇年という節目の年を迎えるときだった。九年目のオフに戦力外通告を受けたのである。だが、松浦はプロ一〇年という記録に拘った。当時は一〇年を過ごすと日本野球機構から記念バッジと銀のプレートが贈られていたのである。彼はこれらに憧れがあった。

松浦は球団から打撃投手の打診があったときに、一年間だけ選手登録をしてくれるように頼み、打撃投手として投げ、プロ一〇年の勲章を摑んだ。

彼が打撃投手になったのは二七歳のときだった。その経緯を彼は語る。

「まあ現役はもういいかなって感じで、球団に言われたとき俺はもう結婚していたしねえ。今から何したらいいのか、女房とも話したのよ。でも俺野球しか知らないんだよね。野球バカだし。だけど打撃投手は怪我して投げられなくなったらおしまいだから。他の道に進もうと思ったのだけど、女房の後押しがあってね。〝野球が好きなんだから、やればいいじゃない〟と。そう思ってやった」

ちょっとしたプライド

だが誰もが直面するように、現役から裏方への転身について葛藤があった。自分に務まるのかという不安もあった。裏方に徹するのに二〜三年はかかったという。あるとき、周りの現役投手の球を見た。力の差は歴然だった。

「いやあ敵《かな》わんな」

そう実感したとき、現役への執着は消えた。そこから打たせるために投げることへ意識を切り替え、自分の行く道はこれしかないと決意した。彼にも家庭があったから生活のため、意地でもこの仕事を全うしようと思った。彼が冒頭に語った「ちょっとしたプライド」とは次のようなものだった。

「打撃投手が投げる横にボール籠が置いてあるよね。スーパーのレジにある籠と同じだ。そこに一二〇球ボールが入っている。だいたい俺らは一日に二〇分投げる。一分間に六球投げる。すると二〇分で一二〇球になる。俺が投げたボールを全部打ってくれたら空や。だから籠のボールを全部打ってくれたらいい打撃投手の証《あか》しやと、俺はそれで判断していた。空のときも結構あった。最高だったね」

打撃投手が投げる傍には、ボール籠が二つ置かれてある。一つの籠に一二〇球入っているので松浦が投げた球のすべてを打者が打ってくれたら二〇分で空になる計算だ。だがストライクが入らずに、見逃されればボールが足りなくなり、もう一つの籠からボールを補充しなければならない。ボールを補充せずに籠を空にするには二〇分間で一二〇球投げたボールの、すべてを打ってもらえることが条件になる。それだけ打ちやすく、制球のよい球を投げているかを示すものだ。

その頃彼が投げていたのは南海だった。すでに身売り寸前のチームで、財政的にも逼《ひっ》迫《ぱく》しているのは明らかだった。アンダーソックスが破れると、そのたびに球団に言って新しいものを用意してもらう。すると月末に請求書がやってきた。マネージャーは言った。

「ソックスの支給は三足までや」

アンダーシャツも、同様だ。ずっと着続けていると、生地が伸びてゆく。球団は用意してくれないから、自分でハサミで袖を切った。夏が近づくと、七分袖から、半袖へと切る分量が増えた。しかも球場には観客は少ないから、野次がよく聞こえた。

「おい、何やってんねん!」

松浦が観客席を数えてみると、今日の外野はレフト五〇人、ライトに一〇〇人と目で追うことができる人数だった。そんなチームで打撃投手を務めることになった。

「厳しい世界だったよ。まず安定がないんだ。給料もそんなに高くないし。だからよっぽど徹しないといけない。勇気もいる。俺は秋が嫌いだったのよ。毎年契約せないかんからな。打撃投手をやって楽ってことは絶対ない。なおさらきつかった。でもやっていて楽しいときもあったよ。投げてやった子がね『ありがとうございます』って言ったときは俺『いいよ、いいよ』と言うけど、やっぱり嬉しいよね。ある選手からは『松浦さん投げてくださいよ』とお願いされる。いいよね。打撃投手冥利だよ」

南海の主砲門田博光にも投げた。松浦が見た門田の姿は「孤独感があって人を寄せ付けない人」。言い換えればプロ意識の塊だった。それだけに交友関係も少なかった。だが、そこに「自分はこれで金を稼ぐ」というプロ精神が漂う選手だった。

「昔のパ・リーグはハングリーだったね。とにかくセ・リーグに勝ちたかった。言葉は悪いけど、セ・リーグは癪《しゃく》に障るんだよね。客がおるじゃん。パには客はいない。だからオールスターでも日本シリーズでも、パ・リーグには意地があったと思う」

松浦は打撃投手となって三年目に肘を痛めた。だが少しくらい痛くても痛み止めを飲んで投げた。肘が湾曲したのもこの頃の無理が原因だ。

「痛さはけっこう来たよ。でも投げないとクビになるからね」

千葉マリンスタジアム（現ＱＶＣマリンフィールド）で投げたとき、ついに右腕が激しい痺れを起こして、伸びたままになった。手が元に戻らなくなってしまった。病院で診てもらったら、右肩の後ろの筋肉が断裂していた。二週間治療を受けたが、完治はしなかった。痛かったが彼は投げた。

「怪我でも投げなきゃいかん。やっぱりプロだから」

そんな松浦を水島新司が「あぶさん」で描いてくれた。水島はスター選手だけでなく、スコアラー、打撃投手、マネージャー、通訳など裏方と呼ばれる人を多く取り上げた。松浦が登場するたびに子供たちが「パパ、載ってるぞ」と喜んでくれた。それも彼の支えになった。

選手と立場はフィフティ・フィフティ

やがて松浦は打撃投手の中でも、チーフという立場になった。チーフの彼は、徹底したプロ意識を同僚にも求めた。

「俺はね、〝遊んでもいいんだ、その代わりやることはやれ〟と言ったんです。〝打撃投手は投げられなくなったら意味ねえから、悪いけどクビにするぞ〟って。そうじゃないと一人が休んだら、もう一人に負担がかかるから。打撃投手六人が全選手の分担をしなきゃならない。〝たった一人だけに投げたいなんてアホなこと許さんぞ。だから遊んでもいいから、体のケアはしろ〟ときつく言いましたね。投げることのプロにならなくちゃいけない。腕一本で生きるのだから、生半可なことじゃできない。

〝毎日一二〇球投げて飯を食わなあかんのやから、意地とプライドは持っておけ〟

〝他球団の打撃投手よりいいボールを投げろ〟

〝打者にうんと好いてもらわんといかんぞ〟とも言いましたね。たとえばね、ストライクが入らなくて苦労する打撃投手がおる。悩むよね。だけど〝俺は手助けはできるけど、努力するのはおまえだ〟と言いました」

松浦は何度もプライドという言葉を口にした。彼は同僚たちにこうも言った。

「おまえら、裏方っていう気持ちを持っちゃいかん。選手と立場はフィフティ・フィフティや」

悩んでいる打撃投手には、選手と対等なんだから自信を持てとも言った。彼は裏方という呼ばれ方を嫌っていた。確かに打撃投手は選手を支える存在だが、ユニフォームを着たら対等ではないかと考えていたからである。だからと、松浦は言う。

「ただやればいい世界じゃないから、レギュラー選手に投げてなんぼということは言いましたね。変な言い方だけど、控えの選手に投げるより、やるからには一流を目指して、主力選手に放れよ、ということです。これはプレッシャーもあるわね。投げたら、その選手の成績にも関わってくるからね。だけどプレッシャーを持ってやらないと続かない。ただ投げればいいという安易な気持ちじゃ続けられない。徐々に打者が嫌がってくるんだ。〝もういいですよ、あいつは〟というのも結構あるんですよ。打者は成績が落ちたら、年俸に繋がるから。僕らは打たせてなんぼ、打たせることで評価してもらう。〝この人いいですよ〟と、打者に言われたときに自分の評価が上がる。だから好かれる打撃投手を目指せ。あの人の球を打つと、調子が上がると言われるようになれ。たかだか一日二〇分投げるだけだけど、やっぱり努力しないと長いこと食っていけない。俺の目標は五〇歳まで投げることだった。俺の意思で、裏方の道に入ったのだから、いい球を投げることで人に有無を言わせたくなかったんだ。ただ裏方という言葉に抵抗はあったね。〝あいつ年だけどよく投げてるな、本当にいい球放るな〟と皆に言わせたかったんだ」

そのために彼はコントロールを第一に考えた。コントロールを確かにするのは下半身の強さである。

足、腰が安定しないと、いい球を投げられない。上半身だけ鍛えても限界はある。オフはダンベルを使って鍛え、シーズン中はチューブを引っ張った。土台がしっかりすれば打者の要望に応えることができる。

「マツさん、フォーク放れる？」

「カーブ行けます？」

といった要望にも応えることができる。プロ野球の試合は年間一四四試合、それに練習日、春季、秋季のキャンプを入れると、一年間にざっと二五〇日程度投げることになる。その体を支えるのは下半身である。

「投げ終わってロッカーに行くと、冷蔵庫があってね。そこにビールが入っているんだ。キューッと。これはいいよ。その代わり仕事はやるぜ。だから何度も言うが、若い連中には、遊んでいいぞ、仕事もやれ、それだけ自信があったら、何しても構わない。俺らプロなんだから。だけどいい球投げられなくて遊んでいたら、俺は怒るぞと」

三人の子供と入院中の妻

そんな彼を突如試練が襲った。平成七年の開幕前だった。このとき松浦は三八歳。いつものように投げていたが心は落ち着かなかった。この年は、王貞治が監督に就任した年である。このとき彼の妻は病魔に冒されていた。朝病院に行って、昼に球場に行って投げて、終わったら病院に戻る日々が続いていた。彼には三人の子供がいたが、いちばん下の娘は小学校に上がるときだった。娘も一緒に球場に連れてゆき、父の投げる姿を見ている。練習が終わると、一緒に病院に行った。ふだんのように投げることに集中はできなかったが、決して休まなかった。

いつまでも妻の傍にいたい彼に、妻はさり気なく語りかけた。

「もう仕事行きなさいよ」

彼は気を取り直して球場へ向かった。

「だから彼女のためにしっかりやらんといけないと思いました」

だが開幕日に妻は帰らぬ人となった。

平成七年四月一日の開幕戦、ダイエーは西武球場で死闘を繰り広げていた。大物外国人ミッチェルが初回に満塁弾、その後も打ち続け、一挙七点を挙げた。

このとき試合前に、球団の瀬戸山隆三代表（当時）から選手たちに「松浦君の奥さんが亡くなった。ぜひ彼のためにも勝ってほしい」という言葉が告げられた。この日は、松浦は福岡の病院にいた。

しかし、このリードを投手陣がどうしても守りきれない。リードされたが、九回表、ついに一〇対一〇の同点に追いつき、延長戦で一一対一〇で何とか勝つことができた。ダイエーは王監督の初勝利を猛打で飾った。打撃投手とすれば、前年の王者西武から一一点も取ってくれれば本望だ。

翌日だった。瀬戸山から電話があって、「チームが勝ったこと、君の奥さんのおかげだよ」とねぎらいの言葉をかけてくれた。

妻が亡くなったとき、松浦は打撃投手を辞める決心をした。子供たちの養育もある。長く働ける仕事をしなければとも思った。しかし、長女が言った。

「パパは野球しかないんだから。野球やりなさいよ」

このとき彼は驚いて尋ねた。

「本当にやらせてくれるのか？」

長女は頷いた。このとき彼は俺が死ぬのはここ（グラウンド）しかない、それでいいんだと思った。

そして野球少年の長男のために、いずれ息子がプロに入ったら息子の打撃投手ができればいいなと考えた。

王が監督になってしばらくはチームも低迷した。この年は五位、翌年の平成八年は最下位に落ちた。日生球場で行われた試合の帰り、チームの乗ったバスがファンから生卵をぶつけられる事件もあった。以後、ダイエーのバスは道を変えて遠回りして宿舎に戻るようになったが、二台目の小型のバスに乗っていた裏方のあるスタッフは、「投げた奴、出てこい！」とバスから怒鳴ったという。

松浦はこの頃を回想する。

「南海じゃ負けて当たり前みたいなところがあった。〝あ、また負けた〟みたいな感じ。勝ったら〝お、今日勝ったじゃん〟とか。でもダイエーになったら、負けたら悔しがるようになった。飲んでも野球の話が出るようになった。負けても欲が出てきたんだ。勝ちに飢えるようになった。勝負に拘りだすようになったんだね。優勝した年も、終盤で〝これは行けるぞ〟という感覚でチーム自体が盛り上がっていたね。あれが大きいよ。万年Bクラスという先入観が払拭できたんだ。それからぐーんと上がっていった」

平成一一年、ついにダイエーは日本一になった。松浦ら打撃投手も選手と一緒に和気あいあいとビール掛けに夢中になった。

「野球の醍醐《だいご》味というか、喜びを感じましたね」

松浦は打撃投手にとって大切な姿勢を語った。

「どんな仕事でもそうだけど、負けないという気持ちは大切だと思う。だから何年もやりたければ一つ芯を持たなくちゃいけない。二～三年やればいいという気持ちじゃ駄目。もうこの仕事で終わるんだという気持ちを持たないと。主力に放って、打撃投手のエースを狙わなきゃ」

松浦は一〇年以上チーフ打撃投手を務めた。彼は平成一二年限りでダイエーを去った。一七年間のホークスでの打撃投手人生だった。だが彼には古巣の中日ドラゴンズから声が掛かった。二～三年前から彼は腕を見込まれて「来ないか」とチームの首脳陣に声をかけてもらっていたのである。監督の星野仙一は彼に言った。

「どうだ、まだ投げられるか？　大丈夫だったら力貸せや」

「ええ投げますよ」

このとき四四歳になっていたが、投げられる自信はあった。

「本当に野球バカで何もわからないからね」

だがさすがに夏場は年齢的にも堪《こた》えた。横浜スタジアム、神宮球場と野外の球場で練習も行うときはとくに暑かった。中日では福留孝介が印象に残る打者だ。

「凄い練習熱心でね。これが注文厳しいんだ。〝今度はインコースください〟〝インハイください〟って。ちょっと待てよ。俺は四六歳になって、そこまで投げられるわけねえだろうって。でも投げたよ。福留は拘りを持っていた。こっちもプロや。だから協力しないといけない。〝どこ投げたらいいんや〟って聞いた。でも〝当たったらごめんよ〟と言ったけど」

投げた瞬間、音がした

平成一七年だった。夏に二軍の練習で投げたときだった。投げた瞬間、左腕が「パチン！」と音がした。やがて手が大きく腫れた。痛み止めも効かなかった。内心、もう駄目かなとも思ったが、彼は隠し通した。

しかしこの件はトレーナーにも知れ渡り、レントゲンを撮ったら、尺骨が折れていた。これで終わった、と松浦は思った。

「年齢のこともあるけど、これは会社が判断することだからね。やらせてくれというわけにはいかないし、力がなければ辞めていくしかない」

彼は球団から、自分が欲しい人材だと思われていることに誇りを持っていた。だからすがってでも残してくれという言葉は吐きたくなかった。このとき四九歳。目標の五〇歳まで一年届かなかった。

「どこかで怪我の情報が流れていたんでしょうね」

と彼は呟いた。


今、彼は浜松で大好きなお酒の店をやっている。ビールのジョッキの飲みっぷりの良さはあぶさんそのものだ。彼はしみじみと語った。

「不思議に今も野球の夢を見るものね。まだ自分がユニフォーム着てる。おかしいよ」

松浦は笑った。しかし打撃投手の話題になるとたんに眼が鋭くなる。打席に立ったあぶさんの眼だ。彼から見た素晴らしい打撃投手は巨人の北野明仁だという。ただねと、彼は言った。

「俺がやっているときは、俺がいちばんの打撃投手だと思っていた。自信を持って、俺はもうこれで行くという覚悟を持たないと。だから楽な商売は絶対にない。何があっても投げなきゃいけない。野球好きの、これぞ自分の生きる道ですよ」

松浦は再び笑った。いつか打撃投手として投げたいと願った長男は、高校まで野球を続けたという。「その先まで続ける願望はあったけど、駄目だった」。彼は表情を崩して、照れ臭そうに呟いた。

第六章　打撃投手はいつ生まれたか

川上哲治からの手紙

日本独自の打撃投手という職制はいつできたのだろうか。そのことを明らかにしたいと思い、二〇年ほど前元巨人軍監督の川上哲治《かわかみてつはる》に手紙で問い合わせたことがある。

〈大分前の事で、記憶が薄れていますので、はっきり致しませんが、憶《おぼ》えていることをお答えします〉

川上氏は、こう前置きした上で、バッティング専門の投手は昭和二四～二五年にはいたと思うと書面で答えてくれた。試合前の三〇分の打撃練習のため、コントロールのいい投手で、球威の落ちた選手が打撃投手となることを納得した上でやっていた、ということだった。その打撃投手ができた背景には、当初は肩のよい野手が交代で投げていたが、そのうち控え投手が投げるようになった。ただ試合数も多くなり、また練習時間も長くなったので、投手が一人、二人では足りなくなってしまった。また投手に打球が当たったりして怪我をすると、チームに大きな痛手となるため、

〈選手としては見込みはないが、本人が野球をやりたいと望めば、選手としてでなく球団職員の形で雇用し、チーム付としていろいろな雑用もして貰っていたようです〉

と氏は記した。これが日本に打撃投手が誕生した理由である。

資料の上で、打撃投手の名前が初めて見られるのは、じつは昭和一二年である。巨人軍のエース沢村栄治《さわむらえいじ》の快速球を打ち崩すために、大阪タイガース（現阪神タイガース）が、打撃投手をプレートより一メートル前に出して、練習を行ったという。このとき打撃投手を務めたのが、青木正一《あおきしょういち》という投手と加藤信夫という野手だった。

記録によれば、青木は桐生《きりゅう》中学（現桐生高校）出身で、昭和一二年に大阪に入団し、実働三年で四勝二敗の成績を残している。加藤信夫は、専修大学を経て、昭和一一年に入団し、野手として二年間で一八試合に出場したが、後戦死した。タイガースはこのときの練習が功を奏し、秋季リーグ（この年は二シーズン制）で巨人を破って優勝した。

京城《けいじょう》（ソウル）の実業団チームのエースとして活躍し、昭和一三年に大阪タイガースに入団した朴賢明も打撃投手を務めたと言われている。彼は翌年帰国し、戦後は北朝鮮に住んだという。

ただ彼らは本来が選手だから、一時的にチームの要請で打撃投手を務めたに過ぎず、これまで紹介してきた専属の打撃投手とは違う。

戦後、打撃投手として知られるのは、西鉄ライオンズの稲尾和久《いなおかずひさ》と阪神タイガースの小山正明《こやままさあき》である。二人は後に球界を代表する投手となるが、ともに入団時は期待されていたわけではなく、もっぱら主力選手の打撃投手を務めさせられていた。打撃練習に投げることで、実戦の感覚を身につけ、首脳陣に力を認められ、一軍の試合で投げるようになった。稲尾和久はプロ一四年で二七六勝を挙げ、日本シリーズでも活躍し、「神様、仏様、稲尾様」と呼ばれた。昭和三六年には四二勝を記録し、これは今でも破られていない年間の最多勝利記録である。小山正明も、プロ二一年で通算三二〇勝を挙げ、「針の穴を通すコントロール」と呼ばれ、絶妙の制球力を誇った。ただこれらの事例は、彼らが専属的な打撃投手ということではなく、川上が言うように、当時のプロ野球界では、二軍の若手投手や、野手が交代で投げていたということを示している。稲尾や小山は、現在のような打撃投手とは一線を画す必要がある。

では、現在に繋がる専属的な打撃投手はいつ生まれたのだろうか。

選手登録をされていた時代

チームに打撃投手という職制がいつ導入されたのかはっきりしない。今私の手元にある『毎日ムック　2011スポニチプロ野球選手名鑑』（スポーツニッポン新聞社）には、各球団ごとに、選手や監督、コーチとは別にスカウト、スコアラー、ブルペン捕手、用具係、トレーナー、通訳などと同じように打撃投手の名前がスタッフとして記載されている。ここに書かれた打撃投手は、現役の選手としてではなく、専属の打撃投手として球団に雇用されている。

平成一八年に六〇歳で引退したオリックス・バファローズの打撃投手水谷宏《みずたにひろし》は、引退当時球界最年長の打撃投手だった。彼は昭和四三年にドラフト一位で社会人野球のオール鐘紡から近鉄に入団した。彼は筆者にこう語っている。

「僕の入団一年目は専属の打撃投手はいなかった。現役の投手がフリーバッティングに投げて、そのままベンチ入りする形だった」

それが入団して三〜四年目（昭和四六〜四七年）になると、二〜三人の打撃練習専門の投手が出てきたという。彼は昭和五三年限りで現役引退すると、昭和五四年から打撃投手として球団に雇用されて、投げ続けた。

昭和五四年一一月に発行された「別冊週刊ベースボール秋季号・広島カープ優勝記念号」では、「V2戦士を支えた陰の男たち」というページで、広島東洋カープの長島吉邦《ながしまよしくに》（当時三〇歳）と佐藤玖光（当時三四歳）が打撃投手として紹介されている。長島は昭和五〇年から打撃投手として投げ続け、昭和六一年まで務めた。佐藤も昭和五〇年から、平成一〇年という二四年間にわたって投げ続け、引退したときは五三歳になっていた。彼らの職種は、確かに打撃投手であったものの、昭和五〇年から五二年までは選手登録をされている。

現役選手の登録をされた形で、打撃投手の仕事をこなしていたのだ。

このような事例は他球団にも多くある。

たとえば、ロッテオリオンズの西三雄という投手だ。彼は丸善石油のとき、都市対抗野球で優勝、橋戸賞（MVP）を獲得し、昭和三七年に大毎オリオンズに入団した。現役は七年間で二六勝二五敗。昭和四四年から選手登録をされた形で、打撃投手になった。アルト・ロペス、アルトマン、榎本喜八《えのもときはち》の恋人として毎日三〇分、約二〇〇球を投げ続けた。

ロペスは三年連続三割を打ち、本塁打も二〇本以上コンスタントに打てる好打者で、昭和四五年のロッテのリーグ優勝に貢献した。アルトマンも打点王一回、ベストナインに三回選ばれた最強の外国人打者で、榎本喜八は安打製造機と呼ばれ、二度の首位打者、ベストナイン九回の球史に残るヒットメーカーだった。西はこれらの強力打線を陰で支えていた。

ロペスは本塁打を打つと、賞品を西にプレゼントしたり、彼の背中を指差して「あの西という投手が練習でいい球を投げるからよく打てるんだ」と報道陣にも賛辞を惜しまなかったという。西はスコアラーも兼ねて、毎日夜中の三時まで記録の集計作業をしていた。

彼は自らの仕事についてこう答えている。

「最初は今の仕事に抵抗があったが、人間、なにか人の役にたつことができれば、それでいいと思う。こっちは落ち目の三度ガサだが、まだ負けてはいかんというライバル意識がある。たかがバッティング投手という人もいるがちっともはずかしいとは思わない。この仕事は最後までやり通す」（「報知新聞」昭和四五年六月一三日付）

当時打撃投手のことを「観光団」と言って揶揄《やゆ》する人たちも多くいた。遠征についていっても、本番の試合には関係がないからだという。まだこの職制がプロとして認知されなかった時代だった。

西は「俺はプロ中のプロだ」と思い、投げ続けた。彼は打撃投手を引退後、昭和五一年から太平洋クラブライオンズで投手コーチ、そこから身売りされた西武ライオンズでも平成九年まで投手コーチを務めた。打撃投手から投手コーチになったのも希《まれ》である。

「あぶさん」に登場した打撃投手

じつは私が打撃投手を初めて知ったのは水島新司の野球漫画「あぶさん」であった。たまたま父親が持っていた「ビッグコミックオリジナル」（小学館）に西村省一郎《にしむらしょういちろう》という南海ホークスの打撃投手の話が書かれていたのである。

題して「ネット裏のエース」。彼は昭和一六年生まれで、近畿大学を中退して昭和三六年に南海に入団した。「近畿大に西村あり」と畏怖され、巨人など四球団の誘いを蹴って南海を選んだ。背番号は18だったから即戦力のエースとして期待されていた。

しかし練習中に肩を痛め、往年の球威は最後まで戻らなかった。実働五年（プロ生活は九年）で四一試合登板、三勝六敗が彼のプロで残した成績だ。漫画では、彼が現役時代、捕手の野村と組んで、プロ七年目で初完封勝利を挙げた場面を描きながら、その後は活躍できずに、一軍と二軍のエレベーター選手で終わった悲哀を描く。西村省一郎の選手時代は「西村省三」という名前だった。占いで省三は「努力しても報われない名前」と言われた。だが、彼は親から貰った名前にこだわった。結果、占いのとおり、投手としては報われない人生だった。

昭和四六年、監督兼捕手の野村克也が西村を監督室に呼び出した。そこで打撃投手になるように通告する。野村は、彼の特質である打ちやすいフォームと球種を生かしてくれと頼む。そのとき彼は思わず「バ、バッティング投手……」と口走り、こう呟くのである。

「そうか……俺の球は……もう……あかんのか……」

彼は苦悶《くもん》の表情を浮かべる。彼にもかつては球界に名前を轟《とどろ》かせたプライドがあった。野村は厳しい目で、転向を迫る。彼は俯《うつむ》いた後、ついに言った。

「監督さん、やりましょう。バッティング投手を。わいが投げれば三割打者続出でっせ！」

漫画では西村の生き生きとした打撃投手の姿を描き出す。

「よーしいくでえ、わいのスライダー打ってみい！」

「あほォ！　それで成田（当時のロッテのエース成田文男）のスライダーが打てるかァ!!」

「あかーん、まだまだや。成田はこんなもんやないで！」

打者に容赦なく激しい言葉を浴びせる。その言動から周囲は「鬼軍曹」というニックネームをつけた。

西村は投げ終わると、すぐに球場の風呂場で汗を流し、試合中はスコアラーとして試合の内容を記録するのである。野村のもとにやってくると、相手投手の狙い球を助言する。深夜に帰宅すると、試合で記録したデータをまとめる仕事がある。

彼は夜食のラーメンを妻と食いながら言う。

「俺ランニングする時間が欲しいよ。ランニング不足は、投手生命を縮めるさかいな。俺は投手や……まだまだ投げたいんや」

西村は打撃投手となってから、名前を「省一郎」に変えた。チームを支えるスタッフが、努力しても報われない名前だと、チームに迷惑をかけるからである。そこに西村の仕事に対する誇りがあった。

「あぶさん」には実在の選手が登場するが、選手だけでなくスタッフも多い。南海で主力投手を務めたある選手はこう言う。

「水島新司先生は、ふだんから選手のロッカーまで入ってくる。この人スタッフかと思うほどでした。グラウンドでも選手と一緒。皆と友達なのです。だから特別に取材をしなくても、いつも選手と話しているから、新聞記者以上に選手や裏方の事情に精通していました」

西村もその流れで描かれたものだ。それだけに普段着のままの姿が描かれ、リアルである。

南海ホークスも、昭和四〇年代に西村省一郎、和中史郎《わなかしろう》、難波孝将《なんばたかまさ》らが打撃投手専属で投げ始めた。村上悦雄は、昭和五四年から打撃投手を務めたが、西村とともに投げている。実際の西村はどんな人だったのか。その思い出を聞くと、「あぶさん」に描かれたとおり、「鬼軍曹と呼ばれたように、とても元気がよくて、素晴らしくコントロールのよい人」という印象が返ってきた。村上によると、西村は当時監督兼捕手の野村克也など主力選手に投げていた。彼はスコアラーの仕事もこなしていたが、やがて年齢とともにスコアラーが主業務になっていった。

鬼軍曹の西村は、壮絶な最期を迎えている。ペナントレース最中の昭和六三年六月半ばだった。この日は西宮《にしのみや》球場で阪急との試合があるため、控え選手は大阪球場で打撃練習をしてから、西宮球場に移動することになっていた。

　このときスコアラーをやっていた西村が打撃投手を務めた。その後、打ち合わせのとき突然胸を押さえて苦しみだし咳《せ》き込んだ。そのまま救急車で運ばれたが、意識が回復することはなかった。四七歳の若さであった。まさに球場内での壮絶な死であった。亡くなったのが南海最後の年で、これも不思議な縁である。南海はこの年いっぱいで、翌年からダイエーに身売りされ、大阪球場を去った。西村はまさしく生涯を南海に捧《ささ》げた打撃投手だった。


　他球団の打撃投手が、最初は選手登録されながら投げていたことは、川上哲治の〈試合前の三〇分の打撃練習のため、コントロールのいい投手で、球威の落ちた選手が本人が納得の上でやっていました〉という言葉と一致する。

　これが徐々に専門職の色彩を帯び、スタッフとして雇用されてゆくことになるが、これは球団の保有人数にも関係している。このことは近鉄の元監督西本幸雄《にしもとゆきお》が、川上と同じ頃に教えてくれた。

「保有人数はコミッショナーによって決められているが、多いときは一球団七〇名、少ないときは五〇名という年もあった。保有する人数枠が多いときは打撃投手も選手登録されることがあった。少なければ外された」

そこから、専属の打撃投手が生まれた経緯について西本は言った。

「打撃練習には、選手登録された投手が投げていたが、練習時間が長くなったので、投手の数が不足してきた。そのため登録された投手の他に、打撃投手を雇うようになった。初めの頃は二〜三人だったが、次第に六〜七人に増えた」

彼らが打撃投手として雇用された時期はいつなのだろうか。西本は、

「各球団は時期を同じくして一斉に導入したわけではなく、財政的に裕福な球団から徐々に雇用するようになった。その時期は昭和四〇年前後、遅い球団で五〇年頃だった」

と語っている。平成になると、現在のように打撃投手がスタッフとして何人も存在する形となった。

なお、現在（平成二三年）各球団の打撃投手は次のとおりである。（順不同）

巨人八名、阪神一〇名、中日一〇名、ヤクルト九名、広島八名、横浜九名。

ソフトバンク九名、千葉ロッテ八名、西武八名、オリックス七名、日本ハム七名、楽天八名。（『毎日ムック　2011スポニチプロ野球選手名鑑』などより）

このほか、スコアラー、用具係、ブルペン捕手、トレーナーなどの専門職スタッフが各球団で登録されている。

昔もそうだが、彼らは練習で投げた後も、スコアラーや用具係を兼任しながら、夜遅

くまでチームを陰で支えている。

最初の長嶋の恋人

もっとも早く専属的な打撃投手を導入したのは巨人だった。川上の言葉によれば、打撃練習専門の投手は昭和二四〜二五年にはいたということだが、筆者の知る限りにおいて、専属の打撃投手第一号は、昭和三五年に巨人に入団した近藤隆正である。彼こそが、初めて打者の恋人という称号を得ているからだ。巨人には四年間在籍したが、もっぱら打撃投手を務めた。

彼は一四〇キロの速球を投げる投手だったが、背が一七〇センチと投手としては小柄だった。現役時代は、四試合に登板して勝ち負けはつかなかった。しかしコントロールが良かったので、監督だった川上哲治が打撃投手専任にしたのである。それは昭和三七年の夏だった。現在大分県に住む彼は言う。

「打撃投手というのは、川上さんの時代に作ったんです。専任で投げたのはワシが最初だよ。川上さんが昭和三六年に監督になって、その一年後にワシに命令された。長嶋の打撃投手や。川上さんの考えということは、球団の考え方ということやろな」

このとき同時に打撃投手になったのは後の巨人寮長となる藤本健作、同じくコーチとなる木戸美摸《きどよしのり》の三人だった。藤本は近藤のことを、巨人歴代の打撃投手で「もっともストライクを投げる確率の高かった人」と評価する。

藤本健作は、「このとき打撃コーチの荒川博さんが、投手や野手に負担をかけないように打撃投手を作ったらどうかと提案したのですよ。そのときはよそのチームにはなかったですね」と述べている。とすると、昭和三七年の夏、他の球団はまだ交代で控え投手や野手が投げていたときに、巨人が最初に専属的な打撃投手を設けたということになる。

木戸は、かつて一七勝を挙げた年もある主力投手だったが、球威が衰え、打撃投手になった。

「僕だってもう一度やりたい。チャンスが欲しい。だから打撃投手という職業を割り切るために人に言えないほど苦しんだ」

木戸はそうコメントした。近藤も思いは同じだった。彼は長嶋専属の投手で、長嶋は彼以外の球を打とうとしなかった。彼がグラウンドを歩いていると、長嶋が大声で近藤の名前を呼ぶ。すぐに駆け足でL字ネットの前に向かう。

「長嶋さんはすぐワシの名前を呼ぶんじゃよ。ワシの球しか打たんからな。若い衆はびびってストライクが入らんのじゃ。だから相当腹が据わっちょらんと長嶋さんの相手は務まらんじゃろうな。ストライクが入らないと〝それでもプロか〞とコーチに文句言われるけんな。ふつうはコチコチになってしまうわな」

長嶋は、近藤を前にして「ここを頼むよ」と内角の膝元を指差した。そのコースにボールを投げると、鋭い音を残してレフトポールに当たって跳ね返りボールはグラウンドに転がった。近めのボールを投げると、長嶋は二球続けてレフトスタンドに叩き込む。観衆もざわめき始めるが、近藤は打球を追うことはなく、ホームベースだけを見ていた。近藤の投げるペースは今の打撃投手より速い。一分間に一一球。投げた球数は四五〇球だった。

近藤は長嶋の調子もわかっていた。調子のよいときは、球が変化してもすんなりとスタンドに持ってゆくことができた。だが調子の悪い日は、コースの注文が多かった。長嶋は練習以外でも、親しく近藤と話すようになった。周囲には見せない素顔も近藤には見せた。自分の弟のように心を許していたのである。いつも注目される長嶋のストレスの発散相手だった。

ある球場での試合前の光景だった。長嶋は、近藤を彼の愛称で呼んだ。

「コンチ、ちょっと来いよ」

通路からベンチに出る場所で、長嶋は満足そうに観客席を眺めた。内野から外野までびっしり詰まった超満員だ。近藤は長嶋の傍に行くと、長嶋は観客席を指差した。

「いいかコンチ、これだけの客が皆俺を見に来ているんだぞ」

長嶋の大スターの誇りを見た瞬間だった。休日には映画も一緒に行く仲になった。周囲は彼を〝長嶋の恋人〟と評した。だが彼が目指しているのは、打撃投手のプロではない。試合のマウンドで投げる現役の投手なのである。自分はどう進むべきか、迷い続けた。

「ほんとはね、打撃投手やってもストライクが入らんで、駄目だと言われるほうが選手として見込みがある。ワシみたいに打者に喜ばれるようだと選手としては駄目じゃ。打撃投手に徹するしかない」

彼は現役投手としての登録をされたまま打撃投手を務めていたから、何度も首脳陣にイースタン・リーグに落としてくれと頼んだ。彼も一軍のマウンドを夢見て入団した人間だ。このまま終わってしまうのは耐え難かった。だがチームの方針もある。彼はこう悟った。

「大の虫を生かすために小の虫を殺す」

大の虫とは、巨人軍の勝利、そして優勝。小の虫とは、近藤が一軍で投げたいという夢。彼はチームの栄光のために自分の夢を捨てた。練習で投げた選手がヒットを打ったり、本塁打を打ったりしたときは本当に嬉しく感じるようになった。だがそれでも葛藤はあった。

公務員への転職

近藤は昭和三八年限りで巨人を去る決意を固める。やはり将来に不安を感じたためだ。

球団は徹底して慰留した。年俸も大幅に上げてくれた。しかし、自分は野球選手になるために入団した。だが首脳陣の評価は、現役の投手としては力不足、というものだった。彼が現役に戻ることは叶わなかった。それであれば球団にいる意味はない。すっぱりと野球界から足を洗い、郷里の大分県で公務員の職に就いた。翌年（昭和三九年）の春季キャンプで、長嶋は近藤に感謝の気持ちを込めて、当時時価五〇万円もした備前長船《びぜんおさふね》という名刀を渡した。自分に投げてくれたねぎらいだった。

この頃、長嶋は「週刊ベースボール」誌上で、何度も近藤についてコメントしている。

「ぼくらが打てるのは、近藤なんかが調子づけてくれるからだもの。……僕らを調子の波に乗せてくれるのは近藤のお陰だよ、大変な仕事だけど、ああいう苦しい選手のお陰でぼくらはいい結果が出るんだもの。ほんとたいせつにしないといかんね」（昭和三八年六月一七日号）

近藤が退団してからは、長嶋は何度も思い出を語った。

「近藤のことは忘れられんな。キャンプに熱が入り、激しいペナントレースが開始されると、ますます彼が恋しくなるよ」（昭和三九年二月三日号）

この頃は長嶋の結婚の話題がマスコミを賑わすようになっていた。ここでも長嶋は言った。

「……近藤だけは、誰を呼ばなくても、ぼくの結婚式には招かなくてはならんな……」(同前)

その年の開幕直後、長嶋は不振に陥ったとき、こうも言った。

「僕は彼さえOKなら、僕が月給を払っても、投げてもらいたいと思っている。いつでもいいから東京へ寄って欲しい」(昭和三九年五月四日号)

巨人軍の最初の専属打撃投手は、長嶋に心から愛された投手だった。なお、巨人は昭和三九年に専任の用具係も作った。それまでは球団に出入りする運動具店が兼ねていたが、正式な用具係を置くことで、チームの移動の際に、選手のバット、グローブ、スパイクなど用具を一手に引き受けて、選手を支え、選手が野球に専念できるようにするためである。

昭和四三年から巨人の打撃投手を務めた荒川巌《あらかわいわお》は、シーズン中に選手登録を突然外され、打撃投手専属になった。高校時代は、一試合二六奪三振という日本記録を達成した豪腕もプロでは芽が出なかった。このとき、「さみしかった。だが割り切らなくては……」と呟いた。それを相談相手の金田正一《かねだまさいち》が励ました。前人未到の四〇〇勝を達成した左腕である。

「生活のためだ。バッティング投手も立派な職業。割り切って、一人でも多くの好打者が生まれるように力になってやれ」

以後荒川は「これが俺の商売だ」と信じて投げ続けた。

世界の本塁打王

〝王の恋人〟と呼ばれた峰国安《みねくにやす》は、昭和四四年に大洋ホエールズ（現横浜ＤｅＮＡベイスターズ）を解雇され、翌年に巨人に打撃投手としての契約で入団した。大洋では中継ぎ投手として活躍していて、通算七勝九敗という成績が残る。彼は王と同じ昭和一五年生まれで、現役時代には王に本塁打を打たれたこともある。

峰は、昭和四九年一一月に、世界最多本塁打記録保持者（当時）のハンク・アーロンと王貞治の本塁打競争に投げた投手として知られている。この頃は王は二年連続三冠王に輝いた脂が乗り切った時期だった。王には毎日五〇分から六〇分付き合うことが多かった。

彼は言う。

「悪いけど打撃投手というのは、現役選手よりワンランク、ツーランク下に置かれているわけだから、自分のプライドを捨て去ることが先決だね。〝俺は昔は〟といった感じを持ったらいいボールは放れない。その気持ちを捨てて初めていいボールを投げられるんじゃないかな」

峰は昭和四九年まで打撃投手として在籍し、その後は二年間古巣の大洋で投手コーチを務めた。

やがて時代は昭和五〇年代に移ってゆく。王の最後の恋人と呼ばれた山口富夫は太平洋クラブライオンズ（現埼玉西武ライオンズ）から、昭和五一年に巨人に打撃投手として移籍した。正式に打撃投手の契約を結んだのは移籍して三年目だったが、すでに一年目から打撃投手として投げていた。

彼は軽いキャッチボールで肩が出来上がるという長所があった。それが彼の打撃投手として生きる素地になった。ただ現役に未練はあった。一度首脳陣に「自分はもう一度勝負したい」と頼んで、キャンプの紅白戦で投げたことがあった。結果は、打たれた。そこで自分の力を知り、打撃投手として生きようと決意した。

山口が王の相手を務めたとき、王の打撃は、技術的に完成の域に達していた。内角の球でぶつかりそうな球も上手く捌いて打っていた。王は世界の本塁打王である。しかし山口の眼には別の姿が映った。

「あれだけの本塁打を打ったのだから、偉大なホームランバッターであることは間違いない。でも凄くミートが上手いのですね。たぶんね、本塁打を狙わないでヒット狙ったら毎年首位打者を取れます。眼も素晴らしかったから、イチロー以上の打率を残したと思います。王さんを努力の人と皆は言いますが、僕は天才だと思っています」

あるとき、王に「ヒットだけ狙ったらいつでも首位打者取れますね」と話しかけたら、王は怒ったという。

「誰が俺のヒットを見に来ていると思うか」

そこに本塁打に拘り続ける王のプライドを垣間見た。つねに本塁打をファンから要求される王にはヒットは本塁打の打ち損ないに過ぎなかったのである。世界の王たる所以だった。山口は平成五年まで投げて、後に球団のフロントに入った。自分の納得する球を投げられなくなったことを自分のプライドが許さなかったのだ。王の恋人を務めた彼の矜持《きょうじ》だった。このとき四五歳だった。

山口のエピソードがある。山口の奥さんは野球に詳しくなかった。結婚前、彼が試合が始まる時間に帰宅する姿を見て、

「野球は始まっているのに、あなたはどうして？」

と真顔で聞かれたという。仕事をサボっているのではないかと思われたのだ。彼は
「そのうちにわかるから」と答えたという。結婚式では、王が人間ドックから抜け出して出席し、祝辞を述べた。

「山口君の根気と忍耐には私も頭が下がります」

そんな彼は現在の打撃投手を見る目も厳しい。

「プロ意識を持てと言いたい。いいボールを投げるにはどうしたらよいか、自分でもっと考えろ。ただ投げるだけならマシンと同じじゃないか。俺は一〇〇球投げたら、絶対

に全部ストライクを投げるんだとか、意識した何かを持つべきだ」

そして時代は平成に変わった。各球団に専属の打撃投手がいるのは当たり前になった。

日本の文化と緻密な野球

巨人では最初のプロ的な打撃投手は近藤隆正となっているが、川上哲治は昭和二四〜二五年にはいたと述べているから、控え投手の傍ら川上の専属の打撃投手もいたかもしれない。

打撃投手は先に述べたように日本独自の制度である。メジャーリーグは日本ほど長く練習をしないので、専属の打撃投手を必要としない。もし人が投げる場合は、コーチが投げる。あるいはパートタイマーで、学生時代に野球をやった人をアルバイトで雇うときもある。かつてドジャースの監督だったトミー・ラソーダは自身の健康管理を兼ねて、打撃投手をやったことがあった。メジャーリーガーの練習は投球マシンが中心である。台湾、韓国のプロ野球界では、財政上の問題から打撃投手を置いていない。控え投手や野手が交代で投げる。同様に日本のアマ球界も控え投手が投げる。なぜ日本プロ野球に打撃投手が存在するのかは、これまで述べたようにひとえに練習時間の長さゆえである。そのことが日本の野球をレベルアップさせたのは事実だろう。

ある打撃投手は、なぜマシンではなく、打撃投手が必要なのかを語ってくれた。

「バッティングマシンは確かに便利です。数もたくさん打てますね。でも打撃投手はマシンにないものがあります。それはキャッチボールに近いといいますか、投げる者、打つ者の心の通じ合いがあるのです。打撃投手は打者のいちばんの理解者です。投げるタイミングも自在にできますし、打つほうはいろいろな注文も出せます。彼らが打者の調子をよく知っていますから、ただ投げるのでなく、打者の希望を汲み取ったり、配慮して弱点にも投げたりと、調子に乗せてくれます。彼らは打者の味方でもあり、打者の写し鏡ですね」

かつてメジャーリーグの足元にも及ばなかった日本プロ野球は、走塁、守備、バットミートの上手さなど、緻密な技術を駆使して、ワールド・ベースボール・クラシックでは二〇〇六、二〇〇九年と、二回続けて頂点に立った。人は日本の野球を「スモールベースボール」と呼び、賞賛した。もともと体型的に非力な日本人が欧米人と互角に戦うことができたのは、やはり高度な技術があったからである。選手の打撃力向上については打撃投手が支えたからとも言えるだろう。

もう一点、打撃投手が日本の文化に根ざしている点も挙げておきたい。日本が他の国と比べ練習時間が長いことは日本という文化の特質だ。滅私奉公というチームのために己を犠牲にする精神も、古来武士道の精神から来ている。そういった己を殺し、集団として行動し、尽くすという風土に、打撃投手という職種が生まれた一因がある。個人主義の発達した欧米文化では、己を捨ててチームのために投げる打撃投手は成立しにくいのではないか。

同時に日本のよき風土である勤勉性が、長い練習時間を生み、そこに打撃投手を必要とする土壌も作ったといえるだろう。巨人で最初の打撃投手を務めた近藤隆正の「大の虫を生かすために小の虫を殺す」という信念のもと、長嶋のために投げ続けた彼の生き方は、まさしく武士道の精神である。そして多かれ少なかれ、今いる打撃投手の核になっているのは、近藤が持った精神と同じである。そこに日本球界の特異性を見ることができるし、突き詰めてゆけば、日本人とは何かという文化、民族論にまで行き着くだろう。

打撃投手は日本の文化である。今メジャーリーグでも、日本の緻密な野球を学ぶ風潮が出ている。その意味で、日本の野球を陰で支える打撃投手の存在も、世界から注目を浴びるときが来るにちがいない。

今も昔も常勝チームの指揮官たちは、とくに打撃投手を大事にした。

近鉄の元監督西本幸雄は、就任後初のキャンプの初日で打撃投手に激しく怒った。

「おまえらがいい加減にやっとったら選手がいい練習できんやないか」

このとき打撃投手たちは西本の迫力に震え上がった。

ヤクルトの監督だった野村克也も就任したとき、まず打撃投手とブルペン捕手を呼んだ。

「チーム作りにはおまえたちの力と助けが必要や。これがいちばん大事なことや。君たちの必要性をフロントに伝えておくからな」

最後に九年連続日本一を成し遂げた指揮官、川上哲治のメッセージを挙げたい。

〈私が監督の時代は、この打撃投手の苦労、働きに選手は感謝をして大切にする様教育もしました。シーズンの終わりにはボーナス等も支給したりしていました。勝つ為にはフロント、現場、スカウト、雑用係が一体になろうということで、日の当たらぬ人達にも心を配ってやったものです〉

ここに日本の野球が世界の頂点を極めた秘訣がある。今もこの言葉の重さは変わらない。

第七章

打撃投手は〝天職〟

読売ジャイアンツ　白井正勝

〝天職〟との出会い

筆者が取材した中で誰もが一目置く打撃投手がいた。元巨人の白井正勝だ。彼のことを多くの人が「あいつは凄いね」と言う。徹底して打撃投手の技術を追求する彼の姿勢も、彼に対する賞賛を高める一因になっている。

白井は、取材のとき「打撃投手は僕にとって天職です」と言い切った。「これが天職」と言い切れる人物は希である。打撃投手歴は二一年（平成二四年末に引退）、キャリアとしても十分である。彼は打撃投手のどこに魅力と面白さを見つけ出しているのだろうか。彼の経歴を辿りながら、打撃投手独特の深みを見つけ出してみたい。

白井は昭和四一年に東京都で生まれている。駿台甲府高校を経て、昭和五九年にドラフト外で横浜大洋ホエールズに入団した。だが一軍での実績は一二試合投げて〇勝〇敗、防御率一・八八という数字が残っているだけだ。ただし二軍では、昭和六一年にイースタン・リーグの最優秀防御率のタイトルを獲得している。

この時代は若手投手が一軍の練習に投げることもあった。現役の投手と、打撃投手を併行してやっていたのである。この頃から彼のコントロールの良さは首脳陣に注目されていた。平成二年に膝の故障もあり戦力外通告され、プロ生活は六年で終わる。このとき打撃投手への打診があった。白井は振り返る。

「喜んでやりますと言いました。選手では成功しなかったですけど、打撃投手で一流になってみたいと思ったのです。そこを素直に受け入れたから長くできたのでしょう」

白井は打撃投手を打診されたのは、現役時代の練習で、よく打たせることができたからだと考えている。彼は裏方になることに喜んだ部分もあった。ずっと一軍に帯同もできるし、いろんな地方にも行ける。その中で彼にとって幸運だったのは、投げる打者の、加藤博一、田代富雄、山下大輔、そして高木豊ら主力選手が、「細かいことは気にしないで、どんどん投げてこいよ」と言ってくれたことだった。白井はもともとコントロールには自信があったが、それでも相手がスター選手であれば、多かれ少なかれ緊張するものである。だが白井は違った。伸び伸びと投げている彼を見て、周囲は「これはおまえの天職だね」と言ってくれるようになった。

「二年目くらいから自分でもそう思ったのです。これはいい職業だと。打者がヒットを打てば嬉しい。それは投げているほうから見ても、とても嬉しいのですね」

もう一つは人と自然に仲良くなってしまう彼の天性の人間力である。彼はまったく人見知りをしない。

「子供の頃から臆することがなかった。中学・高校になるとおちゃらけぽかったですね。人と話すのが好きだったんです。巨人に移ってから、坂本勇人も長野久義《ちょうのひさよし》も、白井さんとしゃべると癒されるって言うんですよ。顔見てしゃべってくれるのが嬉しいんじゃないですか」

そんなキャラクターで、多くの人から好感を持たれてきた。打撃投手の必須条件の、打者とよくコミュニケーションが取れることを、自然に満たしていたのだ。

「ただストライクが入らなかったら誰も認めてくれない。そのへんは努力をしましたね」

ある打撃投手は、白井のことをこう評したことがある。

「彼は掛け合いが上手いんだよね。打者からきついことを言われても、それを受け流してしまうんだ。冗談や明るい受け答えでオブラートに包んでしまうんだね」

その点を聞くと、白井は一瞬考えてこう言った。

「どうなんでしょう。打者を盛り上げることは絶対にします。打者に対しても、打球を〝いいよ！〟と声を出すし、僕が悪かったら〝ごめんなさい〟と素直に謝りますし。でもたかが練習ですからね」

と彼は笑った。白井は打者と打撃投手の関係を〝旦那と女房〟の関係に喩《たと》えた。

「この関係が絶対に上手くいきますね。なるべく旦那さんを気持ちよく送り出すために、打撃練習の五分間をしっかりと盛り上げる。僕らがにこにこして送り出してあげればいちばんだと思う。こっちがつまらない顔をすると、打者も心を乱されます。そんな思いを打者にはさせたくなかった。体調が悪いときだって、肩が痛いときだって、悪くてもにこにこして、奥さんが、〝はい、仕事行ってらっしゃい〟という感じにさせるように常々思っています」

ただやはり打撃投手のもっともベーシックな技術はストライクをどんな状況でも投げられること。白井はストライクを投げることには自信があった。

「ストライクも打者とのリズムなんですね。現役の投手が投げるストライクと違って、高めのボールでも打者が打ってくれると、僕からしたらストライクになるんです。本当のストライクを投げようとするから、コントロールが悪くなるのです。コツは打者が打てる範囲に投げること。大まかでいいのですよ。打撃練習のストライクゾーンは広いのです。低めが好きな人は多少のボールでも低ければ打ちます。そこからリズムが生まれて、ストライクがぽんぽん入るようになる」

もっともこの関係に持ってゆくまでが大変だが、とも白井は付け加えた。もう一つは、「バカみたいに（いろんな言葉を）聞き流していくことです」と断言した。結局は精神的にタフだということなのだろう。

「あまり技術的なものは関係ないような気がしますね」

たとえば打撃投手を襲うイップスにしても彼はいっこうに気にしない。いずれは自分にも来るかもしれないとも思う。だが彼ははっきり言う。

「ま、来てないからいいですけど。そんなの怖がっていてもこの商売はできないですから」

だがそんな彼にも、お手本にした打撃投手がいた。本書にも出てきた「落合の恋人」と呼ばれた渡部司である。

「僕が名古屋に行ったとき、近くで見たのです。とてもいい投げ方をされていると思いました。実際話もしました。〝そういう力を抜いたフォームで、すーっと行くボールが理想ですね。どうしたらそう投げられるのですか〟とも聞きました。渡部さんは〝とにかくリリースのとこだけ力をいれなさい〟と答えてくれました。今まで見てきた中でいい打撃投手だと思います」

ある年のオールスターゲームのとき、中日にいた落合が打撃練習をしていた。そこでは渡部が独特の緩い球を投げていた。白井は自分も投げてみたくなって、一〇分ほど投げてみた。落合は黙って彼の球を打ってくれた。隣で渡部が白井に「おまえも本当にいい投げ方をしているな」と褒めてくれたという。白井はいつも一定の速さで投げられることが、いい打撃投手の条件だと考えている。

「だからそうなるためには、体の他の箇所に力を入れたら、バランスが悪くなります。力を抜いて上手く投げられるイメージを持てたのは渡部さんのおかげでした。自分も自信があったから、他の人から取り入れることはなかったんですが、この人だけは別でした」

力を入れて投げることはたやすい。しかし力を抜いて上手く投げることは難しい。だがいい打撃投手は上手く力を抜いて投げている。それが毎日二〇〇球を投げられる秘訣なのだ。

選手より目立った優勝胴上げ

横浜での思い出はグレン・ブラッグスという強打者に投げたことだった。ブラッグスは、平成五年にロバート・ローズとともに入団、平成六年には三五本塁打、九一打点、打率三割一分五厘を残した強打者だ。一年目には二九試合連続ヒットも記録している。彼は黒人で体格もよく、一見して強面《こわもて》の選手である。横浜スタジアムでは場外ホームランも記録し、相手捕手は彼の鼻息だけでも怖かったといわれる。三振すると、バットを膝で折る、死球に対しては相手投手に激昂《げっこう》していた。そんなブラッグスに白井は投げていた。

平成八年八月四日京都の西京極《にしきょうごく》球場で阪神と試合が行われたときだった。ブラッグスは調子が悪かったのか、白井が投げた球を打っても、ファウルチップの連続で、ブラッグスはみるみる不機嫌になった。誰もが恐れる彼に対しても白井は平然と投げている。ところが突然彼は打席を外すと白井のもとへ歩き出した。

白井に不満があるようだ。その行為は死球を受けて打者が乱闘する光景に被るものだった。一瞬にして緊張した雰囲気が広がった。このときコーチの高木由一《たかぎよしかず》と斉藤明夫がブラッグスを制止した。これはその場で収まったが、後で通訳を交えて話をすると、彼は相変わらず苛立《いらだ》っている。

白井ははっきりと言った。

「何で打撃投手のところへ来るんだ。俺は悪いことはしていない」

だがブラッグスは興奮して、言っていることは支離滅裂だった。

「シライの球がいい球で、俺は打てなくてイライラしてたんだ」

わけのわからんことを言うなと白井は腑《ふ》に落ちなかったが、ブラッグスも吐き出したので興奮が収まったのか、事態は収束した。もともと白井とブラッグスとは仲が良かったので、スランプの苛立ちを親しかった白井にぶつけたかっただけなのかもしれなかった。

ブラッグスはメジャーリーグ出身、ローズはマイナーリーグ中心にプレーした選手だったから、当初の期待度はブラッグスが高かった。そのためローズのブラッグスへの対抗心は凄まじいものだった。後にローズは白井の球を打ちたいと言うようになって、彼に投げることになる。打撃練習では横浜スタジアムの電光掲示板の最上部まで飛ばすようになった。

白井によれば「後にも先にもあそこまで飛ばした打者は他にいない」という。

ブラッグスは故障もあって、平成八年限りで横浜を去った。彼は帰国するときに、白井に色紙をプレゼントした。そこには「最高のベストフレンド」と書かれてあった。

平成一〇年横浜は悲願の日本一を果たした。このとき権藤博監督の胴上げで、白井は選手以上に目立っている。通常裏方などスタッフは、選手の外を取り囲む形で胴上げに加わるが、白井の場合は、選手たちから、「白井さん、前に来ていいですよ」と声をかけられて、一気に前に出てしまい、スター選手と並んで胴上げをやった。彼の左右が鈴《すず》木《き》尚典《たかのり》と佐々木《ささき》主浩《かづひろ》だった。しかも権藤監督が目の前で宙に舞っているから、白井はいちばんいいアングルでテレビに映った。

「俺は年も上だから誰も文句言う人はいませんでした」

白井は優勝を経験して、肩や肘が痛いときも、我慢して投げた辛さをすべて吹き飛ばすものだとわかった。ビール掛けにも参加した。やはり優勝のために俺は投げている、と実感したのもこのときだった。

巨人への就職活動

白井は幼少から巨人ファンである。子供の頃は巨人のユニフォームを模したパジャマを着ていたときもある。父親も巨人ファンだったから、父が買ってくれたのだった。父に連れられて後楽園球場にも行った。多摩川のイースタン・リーグの試合では江川卓《えがわすぐる》がプロで初めて投げた試合も見た。そのとき室内練習場にこっそり入って選手のバットを触ったことも記憶している。そのため、横浜に入ってからも巨人への憧れが強かったのである。どうしても巨人のユニフォームが着たい、それは打撃投手としてでもいい。

そう思った彼は矢も楯《たて》もたまらず、自ら巨人の首脳陣に売り込んでいた。

「巨人の打撃投手が待遇も技術もいちばんだと僕らの耳にも入っていました。どうせやるのだったら、自分の力を試したいと思いました」

ビジターで巨人が横浜スタジアムに来たときである。打撃練習の最後のとき、監督の長嶋茂雄、コーチの篠塚和典《しのづかかずのり》、淡口憲治《あわぐちけんじ》らがケージの後ろから見守っていた。そこへ白井は一人で小走りに駆け寄っていった。長嶋が驚いて白井を見た。コーチたちも怪訝な顔をした。

「自分を巨人の打撃投手で採ってくださいよ」

じつは白井の実力は巨人の首脳陣もうすうす知っていた。白井は巨人がやってくるたびに、自分をアピールしに来た。それも数年がかりで、諦めずに通い続けたのだ。巨人も熱意に打たれ、獲得の意向を示したが、問題は所属先である横浜だった。じつはかつて横浜の打撃投手だった中条善伸が平成三年に巨人に移籍した経緯があったからだ。さすがに二人続けての移籍は大きな禍根になる。白井は腕のいい打撃投手だ。チームとしても手放すわけにはゆかない。

巨人の返答はこうだった。

「横浜をきれいに出てゆけるなら、採ってあげるよ」

結局、横浜が承諾するまで四年間かかった。その間、白井は毎回自己をアピールし続けたことになる。当時の球界では巨人の打撃投手は待遇もいいが、その分査定も厳しく、力がなければすぐに二軍担当に落とされると言われていた。

それでも白井は最高峰と呼ばれる巨人の打撃投手に交じってもやってゆける自信があった。

平成一一年のオフ、白井の打撃投手としての巨人移籍が決まった。

白井はその感激を語る。

「巨人のユニフォームを着られたときはとても嬉しかったですよ」

彼はさっそくユニフォームを自宅に持ち帰り、父親に「118」の自分のユニフォームを着せてあげた。あれほど心配した父親も袖を通すと、とても喜んだ顔になった。白井自身もユニフォームを着て妻に写真を撮ってもらったという。

巨人というプレッシャーは感じない

平成一二年、白井は巨人で投げるようになった。しかし、彼は「巨人のプレッシャーはまったくなかった。力がなくなったらそれまで。切られちゃうじゃないですか。そのへんは頑張ってゆくしかない」という淡々としたものだった。

さて、入団した年の一月三一日である。明日からは宮崎キャンプが始まるが、翌日の打撃練習で打撃投手がどの打者に投げるかボードに貼られてあった。

「そこそこ自信があったから、元木大介くらいに投げたいな、と思っていました」

ところが白井が投げる相手は二軍でも聞いたこともない選手だった。当日打席に立ったその相手は、巨人のユニフォームを着ていなかった。アマチュアのオリンピックの強化選手だったのである。まだ新入りの彼には巨人の選手に投げさせてもらえなかったのだ。

「ここで自分の力を見せて、アピールしなければ」

白井はいつもどおりきちんと投げると、首脳陣も安心して、次の日から巨人の選手に投げることになった。

彼は巨人では元木大介、仁志《にし》敏久《としひさ》、松井秀喜、清原和博、村田真一、マルティネスらに投げた。小笠原道大にも専属のように投げることになるが、それは後の話である。

ある年のキャンプでのことだった。この日は清原と松井のランチ特打を行うことになっていた。キャンプ中の昼休みに特定の選手が長い時間をかけて打撃練習を行うのである。休憩時間だから選手たちも注目するし、報道陣も、この日は本塁打何本と新聞に大きく書きたてる。当然観客も注視する。ショー的な意味で捉えるマスコミが多かった。

白井は清原を担当する。松井には北野がついた。当然、巨人の主砲二人の本塁打競争の意味合いが強くなる。清原は練習前に白井を呼んだ。

「白井さん、僕はどうしても松井に勝ちたいのです。なんとかこの勝負勝たせてくださいね」

「そこまで言うのなら僕も頑張って投げますよ」

この試合、両者は意地になって本塁打を連発した。次々と柵越えの打球が飛んでゆく。そのたびに観客のどよめきと歓声が球場に響く。結果、清原は最後の粘りを見せて、松井に二本差で勝った。清原は、白井に言った。

「いろんな打撃投手に放ってもらったけど、白井さんほど緊張せずに僕に投げる人は初めてやわ」

清原はとても喜んで、白井に自分のグラブをプレゼントしたという。それ以降、白井は清原によく投げるようになった。

そんな彼から見て凄い打者には、意外な人物が挙がった。

「元木大介ですね。彼は最高の打者でした。今までいろんな人に投げてきましたが、練習で本塁打を打てる技術はずば抜けていました。本塁打の打ち方を知っているのです。試合じゃなく練習で、です。僕らの遅い球は、力を入れても飛ぶとは限らない。でも元木はインパクトでポンと力を入れて、上手く運ぶ。その技術は天才でした」

小笠原道大との出会い

〝ガッツ〟と呼ばれる強打者がいる。北海道日本ハムの中心打者小笠原道大である。日本ハムではMVP一回、首位打者二回、本塁打王一回、打点王一回と強烈な打棒を発揮した。長いバットを思い切り振り回す豪快な打撃と、眼を激しく光らせ闘志満々の表情は、まさにサムライ。とくに平成一二年から四年連続で記録した三割・三〇本塁打は彼の打率と長打力を両立させた技術を証明した。そんな彼が平成一九年巨人にフリーエージェントを行使して移籍した。

白井は、以後彼の担当になるが、移籍する一年前から関わりがあった。ワールド・ベースボール・クラシックのときだ。このとき白井は打撃投手として参加し、日本代表の小笠原に投げている。

かなり大きな構えにもかかわらず、小笠原はミートも上手く、次々と打球をスタンドに放り込んだ。髭を生やし一見いかつい風貌ながら、投げてくれた白井に「ありがとうございました」と丁寧にお礼を言ったことも同時に印象に残った。

白井は小笠原に、前年のワールド・ベースボール・クラシックのことを話すと、彼は言った。

「白井さんのことは覚えていますよ。いい球投げましたね」

それから自然に会話をする間柄になった。以来、ずっと小笠原に投げている。オフのときも自主トレに誘われ、まさに一年中苦楽を共にしている女房のような存在だ。

「ガッツに投げたときは、久しぶりにピリピリしている打者にめぐり合えた感じです。彼は一球たりとも気を抜かないですから。こっちをもう一丁頑張ってやろうという気にさせる。それくらい緊張する打者です。清原、松井もそうでしたが、そんな打者に投げられるのは嬉しいですね」

小笠原は一分一秒も無駄にしない男だ。すべて全力で振ってくるから、白井も体の隅々まで気合を入れて投げる。白井が気になって、言う。

「ガッツ、今日はバットが下がっていたね」

「白井さん、（打撃のことは）わからないのに言わないでよ」

と小笠原は怒った顔を見せる。かと思えば、壁にぶつかっているときは、彼自ら、白井を捕まえて、

「ねえ、こうなってなかった？」

と聞きに来る。白井は彼の話を聞くふりをするが、話し終えると、小笠原は言う。

「でも、白井さんに言ったってわかんないか。そうだよね、皆わからないもん」

そんなやりとりを二人は打撃練習でしていた。白井は、これを奥さんに言う愚痴のようなものだと解釈している。ふつう打者が一流であれば、スランプになると声をかけづらい。とくにナーバスになればなおさらだ。だが白井は意識的にかけるようにした。多少当たりが悪くても、こう言った。

「今のはヒット。大丈夫、大丈夫」

小笠原はローボールヒッターだ。そのため練習では低めに投げるようにしている。高めに抜けないように白井は注意する。外角に投げるときは、二人のアイコンタクトで決める。ただ白井も年をとったのか、外角低めに上手く投げられないときも出てきた。それが続くと、小笠原も「オラッ」と怒ったように茶々を入れてくるから、素直に謝るようにしている。

白井も「何だよ」と言いたくなるが、ここで一歩引く。縁の下の力持ちに徹するのである。

「五年ガッツに投げてますが、本当に変わらないですよ。ルーティンなんです。毎日同じことをやっても飽きないのだそうです。あれが一流ですね。今は現代的なトレーニング方法がいろいろありますが、彼は自分で作り上げた練習をずっとやっています。頑固者でしょう。彼以外にはいないでしょう。彼が僕をどこかしら気が合うと思ってくれれば嬉しいですね」

小笠原が自主トレを行うときである。年齢は白井が七歳上ということもあり、小笠原が部屋まで起こしにくる。鍋も自ら作る。ところがこと野球になると豹変する。スタッフにも年長であろうがはっきりと何でも言ってくる。ティー打撃のときは、「もう少し低めに投げてください」と注文も細かい。しかも少しでも的がずれたら彼は打たない。そのためイップスになった者もいるという。自主トレでもこれほどの厳しさで臨んでいる。

年齢なんて気にしない

白井も現在（平成二三年）は四五歳。ところが彼は三〇代の頃から逆に力が有り余ってくるようになった。今もあまり疲れないという。むしろ若いときのほうが疲れの度合いは酷かった。打者に対して何となく今日は調子悪いな、ヒットを打っても気分的に乗っていないなとか投げていても感じるときがある。同時に今日はこいつ頑張れそうだな、調子がよさそうだなというのもわかる。しかし未《いま》だに打者の技術的なことはわからない。

「よけいなことを言わないようにしています。聞かれたら〝こうなっているんじゃないの〟って話すようにしています。合っているかわかりませんが。自分は選手をクビになった人間ですから、打撃の細かいことをわかるはずがありません。ただ観察はできますから、〝いいよ、いいよ、調子いいじゃん〟とプラスのことを話します。マイナスなことを言っても仕方ないですから」

今、白井は小笠原の他にラミレスにも投げる。彼らが練習するケージは緊迫感でいっぱいだ。小笠原もそうだが、ラミレスも、練習のときと試合のときの顔つきが同じである。失敗して笑うということは微塵《みじん》も見られない。さすがの白井もその凄みのある表情に最初は緊張したという。

東京ドームでの打撃練習

平成二三年八月一二日。東京ドーム。広島東洋カープを迎えての三連戦の初日である。この日は午後二時三〇分から巨人の練習が始まった。もちろんこの時刻では、ドーム内は選手、スタッフと報道陣だけ。観客席は椅子の青い色に染まっている。打撃ケージは二つ。二ヵ所での打撃練習である。前日は最下位の横浜相手に二対五と敗れ、それまで続いていた連勝が七で止まった。なんとかこれからも勝ち続け、優勝戦線に踏みとどまりたいところだ。小笠原も三打数〇安打、ラミレスも四打数一安打と調子はよくない。投げる白井としても気になる状態である。

打撃練習は若手から打ち始めたが、午後三時一五分に白井がグラウンドに姿を見せた。ちょうど目の前のケージでは亀井義行が打っている。白井はケージの後方で両足を広げたり、右、左に上半身を曲げたり、左右の足を片方ずつ後ろへ伸ばしたりと、股関節をほぐす。練習を見ながら入念に柔軟体操を繰り返している。周囲の喧騒をよそに、集中しようとする姿はベテラン選手のような風格さえ漂っている。柔軟体操に時間をかけたのは怪我防止のためである。年が年だけに投げていても、ぴりっとした痛みが走ることがあるという。

やがて彼は一息つくと、一塁側ベンチ前でキャッチボールを始めた。左手を大きく伸ばし、そのゆるやかな回転とともに右腕がオーバースローから出てきて、ボールが山なりにゆっくりと投げられる。一言で言えば、全身をくまなく使ったきれいな投球フォームだ。現在スリークウォーターから投げる投手が多い中で、白井の投げ方は正真正銘のオーバースローと呼ぶべきものだ。もう練習は後半になっているが、白井は最後に投げる。

「いつもトリですよ。もう全然緊張しないんですよ。だって巨人に来てからずっと最後に投げてますから。横浜でもそうでした。だから慣れですね」

キャッチボールは、一八メートルくらいの距離から、次第に遠くなり軽い遠投をする形になった。白井がゆっくりと肩を作ってゆくのがわかる。

「フォームがきれいだとはよく言われますね。親父《おやじ》の教え方がよかったのでしょう。リトルリーグのときから指導してくれましたから。確かに理に適《かな》っていますね。上げたものって下がってくるじゃないですか。一方を下げれば、もう一方は上がる。無理をするわけじゃない。リズムですね」

確かに左手が上がり、下がると同時に右手が上がる。自然の理に適ったフォームである。そのためか傍《はた》から見ると、軽く投げているように見える。程よい加減に力が抜かれている。体のバランスを上手く使っているので、きちんと打者にも投げることができる。長い年月を投げるうちに自然と楽な投げ方が身についたのである。

白井がマウンドの手前のL字ネットに立つと、続々と巨人のスター軍団が顔を見せ始めた。まずは高橋由伸である。投手ゴロが多く、フォームも泳ぐような打ち方をしていたが、後半になるといい当たりを飛ばすようになった。彼もまた小笠原と同じく笑わない選手である。一球一球を真剣に打つ。たまに凡打したとき苦笑するが、そのとき八重歯が見えることがある。高橋は苦笑しても歯を見せないから、八重歯が見えるほど口を開くのはとても珍しい。周囲はそれを「プレミアム」と呼ぶ。

次は背番号「10」をつけた選手が右打席に立った。一瞬誰なのか見当がつかなかった。だが間違いなく左打者の阿部慎之助である。彼は右打席から、白井の初球を叩くと、フェンスすれすれの大きなフライを打った。二球目は左中間へライナー。そこから本来の左打席に変えた。阿部は監督の原辰徳から、体のバランスを保つため、最初に右で打つように言われたのだという。本職の右打者を凌《しの》ぐ打球は、彼の天性の打撃センスを感じさせた。白井はノーワインドで、次々に投げてゆく。ゆったりとフォームが動くから、打者も打ちやすそうだ。阿部はリズムに乗ったのか左右に打ち分けてゆく。ときおり阿部は白井に話しかける。球種かコースの話をしているのだろう。ときに白井にこんなことも言う。

「まっすぐ落ちていますよ」

「いや、まっすぐですよ」

と白井は答える。かけあいだ。こんなとき阿部は調子がいい。快打を連発し、阿部は満足そうに隣のケージへ移った。

やがて小笠原が打席に入った。彼はヘルメットを被らず、投手へのライナーを中心に打った。白井は怖がる素振りもなく淡々と投げる。さらに一人おいてラミレス。彼もヘルメットを被らない。

「横浜時代から、皆ヘルメットは被りませんでした。やはりイメージって大事ですね。打者も〝白井の球は危ないとこには来ないんだ〟と思ってくれたら、いい打撃投手である条件になりますね」

ラミレスは意外なことに彼の球を二球続けて見逃した。白井の表情に変化はない。三球目はレフトへ大きな飛球を打った。ケージの裏では監督の原がノックバットを杖《つえ》にして、ラミレスに見入っている。白井はときおり打撃捕手のサインに頷いた。変化球と速球のミックスで投げるため、サインの交換をしているのだ。ラミレスは、ミックスされた球をいとも簡単に、センターオーバー、ライトフェンス直撃、三遊間への速いゴロと打ってゆく。白井も満足そうに打球を目で追った。

ラミレスの打球は、他の選手たちよりも速さとパワーが際立っている。そして午後四時前、練習は終わった。相手チームの広島の選手たちが一斉にグラウンドに出てきた。

練習が終了して三〇分後、白井は上半身裸の体にバスタオルをかけてドーム内の部屋に現れた。右腕をアイシングしている。タオルの下には、びっしりと氷の入った五個の袋が肘から肩にかけて包帯とテープで巻きつけられていた。少し荒い息遣いになっていたが、彼は今投げた内容を話してくれた。

「ガッツは昨日ノーヒットだったから、今日はセンター中心に打とうとか練習前に決めていますね。いつもはレフトの方向に打つのですが、今日は投手返しでしたね。強い球をセンターに打ちたかったのでしょう。とくにコースの指定はなかったです。たまに本人が『ピッチャー返すよ』と言ってくることもありますけど、今日は二球続けてセンターに打ってきたから、これでわかりました。

ラミレスが苦笑して打っているときは調子の悪いときです。やはり集中して打つときが調子はいいですね。見送ったのは、僕の投げ方（コース）が悪かったということになりますね。もしあの球に手を出したとすれば、調子が悪いということ。苦手なコースを片手で打ったりすれば、悪いとき。見逃してもらったほうが逆にいいとも言えますね。ラミレスの嫌いなコースに投げるのは、監督の指示です。好きなコースに投げて打っても、監督としては意味ないということでしょう」

この日の試合は広島のジオに抑えられ、巨人は〇対四で負けた。前日無安打だった小笠原に二本ヒットが出たのは、投手返しの打撃練習の成果が出たということだろう。

父親の死

打撃投手をやって辛かった経験はないという白井だが、平成二一年の宮崎キャンプ中に父が危篤に陥ったという知らせを受けた。二月初旬、父親が倒れたという連絡を貰ったとき、急遽一週間帰京した。だがいつまでもチームから離れるわけにゆかない。このときコーチの篠塚和典が申し訳なさそうに言った。

「こっちの仕事も大事だから、なんとか覚悟を決めて戻ってきてくれないか」

キャンプでは白井の球を打ちたいと待っている選手たちがいた。いったんは父親の病状も持ち直したので、白井は宮崎に戻った。やがてキャンプも終わり、オープン戦が始まった。三月一〇日だった。チームはオープン戦で鹿児島に移動していた。このとき再び父親が倒れたと連絡が入った。だがチームは今開幕前で大事な時期を迎えている。躊躇する白井に監督の原は言った。

「すぐ帰れ！ こっちはいいから。親父の元に帰るんだ。戻ってきてから頑張ればいいんだ！」

コーチたちも同じように言ってくれた。白井は取るものもとりあえず帰京した。だが父親の死に目には会えなかった。野球が好きで、幼少から自分を鍛えてくれた父のために、彼はお棺に父親が大好きだった巨人と、横浜、横浜大洋時代のユニフォーム三着を入れた。白井は、前から父の病状のことは一切チームメイトには言っていなかった。いつものように明るく自分の仕事をこなしていた。ただ小笠原は途中で気付き、

「白井さん、何かあったの？」「大丈夫？」「帰んないとまずいんじゃない」

と何度も話しかけてくれた。白井が葬儀も済み、チームに戻ってくると「大変だったですね」と小笠原は声をかけてくれた。白井は言う。

「この年は切り替えが難しかったですね。でも親父も野球が好きだったし、僕が投げてる姿もテレビで見ていちばん喜んでくれました。いざマウンドに立つと、悲しみも忘れるものでね。マウンドは父にとっても僕にとってもいちばん好きな場所ですからね」

小笠原は平成二三年のシーズンは不振に喘《あえ》いだ。開幕ではあと一一本で二〇〇〇本安打達成という時点でのスタートだった。しかし四月二八日には四打席連続三振、一七打席連続無安打も喫し、打率は一割台まで下がった。なかなかヒットがコンスタントに出ない。時間ばかりが過ぎてゆく。だが小笠原は二〇〇〇本は大丈夫だと白井は信じていた。

「絶対打つと思っていましたが、カウントダウンが始まったときから、ここまで苦労するとは思っていなかった。周囲やチームにいろいろ気を遣う人間だから、それも原因になったのでしょうね」

と白井は気遣った。平成二三年五月五日対阪神戦で、小笠原は二〇〇〇本安打を達成した。センター前のヒットだった。通算一七三六試合での達成は、歴代四番目の早さである。そこに長打だけでなく、ヒットメーカーとしての彼のもう一面の顔がある。このとき白井は言った。

「打って本当によかったと思う。絶対打つと思っていた。でも僕は通過点だと思う。その後も苦しんでいますけど、彼はいつものように打ってくれると思います」

小笠原を自主トレからサポートする裏方を「ガッツ会」と呼んでいる。もちろん白井はその中心の一人だ。これからも彼を支えてゆきたいと強く決意している。

白井は年齢は気にしないと言いながらも、周囲はやはり心配して聞いてくる。

「投げられなくなったらどうするんですか？」

だが彼は気にしない。

「今やっていることを大事にしたいだけです。クビになったら？　と考えてやったら、いい球は投げられません。駄目だったら駄目で何かある、それくらい腹を据えてないと務まりません」

白井の家族も彼を応援している。ときどき妻も彼の投げる姿を球場まで見にくるという。高校一年の息子は野球をやっているが、「うちの父ちゃんは打撃投手という立派な仕事をしている」と友人にも語っている。CS放送では、ときどき打撃練習も映るので、白井の姿も見るという。

そんな彼も、現役引退して三年ほどは打者と勝負したい気持ちはあった。今は百パーセントその気持ちはない。だが、投げているとたまに空振りを取るときがある。清原からも奪ったし、小笠原、ラミレスからも奪った。彼らは空振りしたとき、照れ臭そうに小さく笑った。つられて白井も笑ってしまった。「そのとき自分も投手の喜びを感じてしまいましたね」と感慨を語った。

白井が考えるよい打撃投手の条件とはこうである。

「ストライクを投げられる投手もいいですが、打者とコミュニケーションを取れる投手が凄いんじゃないでしょうか。声をかけて、気持ちよく打たせることができたら一流です。短い三〇分間でも二人の気持ちが合致するようにできたら、いい打撃投手でしょう。速さもそうですね。速い球を打ちたかったら速い球を投げる、遅い球だったら、遅く投げるというふうに、打者のニーズに合わせることでしょう」

やはり投げることが好き

白井自身はどう自分を分析しているのだろうか。

「白井さん、あなたはどう?」と振ると「足りないところはありますね。髪の毛じゃないですか。よく皆にからかわれるんですよ」と冗談を言った。

白井は体が続く限りは、球界最年長まで投げられたらいいなと思っている。もっとも球団の決めることではありますが、と彼は断りを入れた。

白井は打撃投手が天職という理由をこう説明する。

「いつまでも投手でいられるじゃないですか。それにその試合に出ている打者に投げられること。いつまでも少年の心を忘れずに野球をやっているイメージになるのですよ。この快感は他の仕事では味わえないでしょうね。僕は野球小僧ですよ、だから僕にとって凄い天職です。二〇年以上経って成長したのは、ストライクが入らずボールが続いても必要以上に深刻にならずにここにできることです。でも絶対そこが大事なんです。

そこへの切り替えと、ハートですよ」

白井のアイシング用の氷もすっかり溶けた。彼はバスタオルを取ると、上半身裸になり、右腕に巻きついた氷袋を外しにかかった。筋肉で引き締まった無駄のない体だった。この体から、打者を育てる球が放たれる。

「人間と打撃マシンの違いって何だろう。打者の拠《よ》り所《どころ》を僕らは聞けるし、良いところも悪いところも聞いて話ができることかな」

彼はそんなことを呟いた。だからやっぱり打撃投手は必要なんすかね、と言いたかったのだ。氷袋をかたづけながら、今年の春先は、国際球に変わったから滑って大変だったこと、とくに春先は空気が乾燥していたからよく滑ったことなどを話した。

そこまで言うと、タオルを広げ、そこに氷袋を包み、白井は慌ただしく部屋を出て行った。これから観客席でスコアラーの手伝いをするという。試合の細かいプレーをビデオに撮るためだ。

白井の仕事に朝も晩もない。ただ野球が好きだからやっているだけだ。

第八章　打撃投手から見たＯＮの素顔

ONこと、王貞治、長嶋茂雄の逸話については第六章で簡単に触れた。改めて二人のスーパースターの偉大さを述べたい。彼らの引退後も多くの名選手が生まれたが、やはり彼らの存在感には到底及ばないと思われる。

王貞治の通算本塁打八六八本は日本の最多本塁打記録だけでなく、メジャーリーガーのハンク・アーロンが残した七五五号も抜いて世界一の記録である。王の本塁打は一本足打法で打ち、高く舞い上がるものではなく、弾丸ライナーでスタンドの上段に飛び込むのが特色だった。日本刀で真っ向から叩き切るようなスイングは、武道の求道者の姿を髣髴《ほうふつ》とさせた。

記録の最高峰が王なら、野球ファンに強烈な記憶を残した男が長嶋茂雄である。ここでぜひ打ってほしいとファンが固唾《かたず》を飲む場面では、抜群の勝負強さを発揮した。これには王も到底敵わない。長嶋がグラウンドに立つだけで球場が一斉に華やぐ。これこそスターである。

その最たるシーンが、昭和天皇が初めてプロ野球を観戦された昭和三四年の天覧試合である。このとき長嶋は阪神のエース村山実からサヨナラ本塁打を放った。

「燃える男」「ミスタープロ野球」などニックネームが多いのは、長嶋がいかにファンから愛されていたかの証明である。それが長嶋の天性の魅力である。

長嶋の本当の功績は成績だけでなく、プロ野球の歴史を変えた点にある。戦前から戦後、巨人の名二塁手として名を馳《は》せた千葉茂は生前こう語っていた。

「プロ野球が六大学野球の人気を追い抜いたのは、長嶋が巨人に入ったからだよ。これでようやくプロ野球が野球の中心になれたんだよ」

長嶋がプロ野球に入るまでは、野球の中心は「東京六大学野球」で、後楽園球場の巨人戦も観客は一万人入れば多いほうだった。

東京六大学野球で史上最高の八本塁打を記録したスーパースターが、巨人に入ったことで、名実ともにプロ野球の地位は上がった。以後、スポーツ界の王道を歩むことになった。

長嶋、王が全盛期のとき、巨人は前人未到の九年連続日本一という偉業を成し遂げる。そのときエースだった「エースのジョー」こと城之内《じょうのうち》邦雄《くにお》は、九連覇の要因をこう語る。

「王さん、長嶋さんがいつも率先して泥だらけで練習するから、周りもあの二人がそこまでやるのだからと自然と猛練習についてきた。チームで一番バットを振っていたのは王さん、次に長嶋さんですよ。逆に一番ノックを受けたのが長嶋さんです」

当時の選手たちは口を揃《そろ》える。

「野球人生の最大の幸福は王さん、長嶋さんと一緒にプレーできたこと」

それほどの野球人が王、長嶋だった。「世界の王」「燃える男長嶋」は今もなお、世代が代わっても野球人の憧れの象徴である。それはなぜなのだろうか。

打撃投手の取材を続けてゆくうちに、じつは監督やコーチ以上に日常を深く接する打撃投手こそが二人の素顔や魅力をよく知っていることに気が付いた。

長嶋の予告ホームラン

打撃投手は「打者の恋人」と言われるが、とくにマスコミは王、長嶋の打撃投手には「ONの恋人」という特別に愛称で呼んだ。恋人と言われるだけに、二人はコーチや監督に見せない本音や弱みを遠慮なく見せた。打撃投手とする練習は、ありのままの姿をさらけ出せる場所だったのだろう。

彼らの打撃投手を務めた人は何人かいるが、ここでは近藤隆正、扇原修《おうぎはらおさむ》、峰国安《みねくにやす》について取り上げたい。

昭和三〇年代後半に打撃投手を務めた近藤隆正は、「長嶋さんは自分の感触を掴むことを大事にする選手だった」と述べている。ストライクが入らない打撃投手には怒りを露《あら》わにしてバットを振ることを止めるときもあったが、コントロールのいい近藤隆正の球は好んで打った。長嶋は緩い球を好み、鋭いライナーでスタンドインするときがもっとも調子がよいときだった。しかし、スタンドインするとそれ以上を打とうとしない。

ふつうの打者なら「さあ、これから本格的に打ち込むか」というときに、長嶋は「今日はありがとう」と言ってベンチに戻ってしまったという。

それは深刻なスランプのときも同じだった。長嶋は、昼間に打撃投手を多摩川グラウンドに突然呼び出したときがあった。特打ちをするためだ。無人のグラウンドで、打撃投手が一球目を投げると見送る。二球目を振り抜くと、打球が地を這う鋭い速さで外野へ飛んだ。すると長嶋はバットを片付けて帰り支度を始めた。球数は二球。時間にして五分。そのまま後楽園球場に直行すると、試合ではヒット三本を打って猛打賞に輝き、スランプから脱出した。

近藤にとって忘れ難いのは昭和三八年の熊本藤崎台球場でのオープン戦である。阪神を相手に巨人打線は二桁得点を挙げたが、なぜか長嶋だけがヒットがなかった。

近藤が心配になってベンチで声をかけた。

「なあチョーさん（長嶋の愛称）、ヒットが出ていないのはあんただけだよ」

そのとき長嶋は明るく笑って右手をぐるぐる回して「わしだけか」と呟いた。すぐに右手でレフト方向を指さした。

「なあコンちゃん（近藤の愛称）、次はあそこに打つからな」

彼はバットケースから愛用のバットを取り出すと、軽く素振りをして打席に向かった。

藤崎台球場は両翼が九九メートル、当時日本で一番広い球場だった。長嶋の表情が瞬時に厳しくなった。打球をジャストミートすると低いライナーで三塁手の頭上を越えて、そのままホームランになった。悠々とベースを回る長嶋を見て、近藤は啞然《あぜん》となりながらも「ベーブルースの予告ホームランと同じだ」と感銘した。

ときに打撃投手に弱音も洩らす。

扇原修は昭和四〇年代前半に長嶋の打撃投手を務めた。このとき彼は長嶋の意外な一面を見た。宿舎では皆が寝静まっているはずだったが、広間で一人だけバットを振る音が聞こえた。長嶋だった。このとき長嶋は調子を落としていた。襖《ふすま》を開けると彼はパンツ一枚になって、上半身汗だくで素振りをしていた。畳には汗が散っている。

「おい扇」

と愛称で呼ぶと、「俺のスイングを見てくれ」と言う。長嶋は自己暗示をかけるかのように、「扇、いいスイングだろ、な、いいだろ」と何度も聞いた。扇原は、スイングのよしあしは分からないが、励ますために「いいですね」と言うと、長嶋はとたんに嬉しそうな顔になって再びバットを振り出した。そんな弱みを打撃投手に見せた。

もう一つは長嶋の天真爛漫な性格である。

長嶋はいつも試合前に後楽園球場の通路にある鏡の前に立っていた。帽子を深く被ったり、浅くしたりと、自分に似合う被り方を研究していた。

「野球選手は帽子が似合わなければ駄目だ」

というのが持論だった。ストッキングの履き方も研究していた。そういうショーマンシップの精神が長嶋の人を惹《ひ》きつけてやまない魅力だった。

その長嶋にも次第に年齢的な衰えが見られるようになった。峰国安は昭和四〇年代半ばから引退するまで長嶋の打撃投手を務めた。打撃練習でも以前なら芯で捉えるとスタンドを軽々と超えていたが、一年ごとに飛距離が失速するようになった。ジャストミートしても途中でブレーキがかかって失速し、平凡な外野フライになることが多かった。

「それでもチョーさんは、懸命に自分に〝いいぞ〟と言い聞かせていました。僕の緩いインコースの球でも詰まったり、タイミングが合わないときもありました。でもチョーさんは、〝峰、今のはいいだろう〟と必死で言い聞かせているわけです」（峰）

峰も長嶋に気持ちよく打ってもらおうと投げ方も工夫した。最初に長嶋の好きなインコースに投げて、気持ちよく打ってもらう。それから苦手なコースに投げる。最後はまたインコースに投げて、思い切り打ってもらって自信をもって試合に送り出すように努めた。

長嶋は打撃投手への気配りも欠かさなかった。

ある日長嶋が一杯になった紙袋を持って峰のところにやってきた。女房が買ったけど、サイズが合わないので貰ってくれという。それは夥《おびただ》しい数の高級パンツだった。長嶋なりの照れ隠しだった。突然スポーツ店の店員を連れて来たときもある。店員の手にはスパイクが下げられていた。長嶋は言った。

「サイズ間違っちゃった。峰、使ってくれ。一足じゃないぞ、二足だぞ」

昭和四九年限りで長嶋は体力の限界を理由に引退した。峰も巨人を去り、大洋ホエールズ（現横浜DeNAベイスターズ）で投手コーチを務めた。

晩年の長嶋を見て思い出すのは、キャンプでも遠征でもバットを持って歩いていた姿である。脳裏に閃《ひらめ》くとその場でバットを持って構えるという習慣があった。晩年は何とかして自分のいいときの感触を取り戻すため必死になっていた。

そんな努力家としての姿も長嶋の素顔であった。

スランプに苦しんだ王

王は毎年夏場に本塁打を量産するが、体調維持の難しい梅雨時には長いスランプに苦しんだ。

一本足打法という不安定な格好のため、バランスを崩しやすいのだろう。そのたびに打撃投手が多摩川グラウンドに呼び出され、長時間の特打ちに付き添わされる。

昭和四二年五月に王は五三打席打点ゼロというスランプに陥った。王はこういうときは気分転換をせずに、ひたすら練習して状況を打開する。眉間に皺《しわ》を寄せて汗を流しながら、多摩川グラウンドで打撃投手を相手にひたすら打ち続ける。扇原修は王にも投げたが、特打ちの最後まで付き添った。三〇〇球はざらに投げた。彼は王の打球をコースごとにノートにも付けた。ときに構えを見て、いつもと違うと声も掛けた。

「少し前かがみになってますよ」

と感じたままを言った。普段から接しているのでコーチも気づかない変化を見つけることができるのである。王も大きく頷いてくれた。扇原は語る。

「投げるのは辛かったですが、スランプを克服したときは、とても嬉しいときでした」

特打ちで調子を取り戻した王は、人が変わったように打ちまくり、この年、本塁打四七、打点一〇八、打率三二六と二冠王になった。だがそこに扇原の支えがあったことはマスコミの報道には記されていない。

扇原によれば、この頃の王のフォームが一番美しかったという。後年に比べ、一本足が真っすぐに立ったような安定性があった。

「王さんはヒットを打っても満足しなかった。いかに遠くに打てるかが信条でした。打撃投手相手に打つ時でも、カットしたり、見送ってみたりとかいい加減なことは決してする人ではなかった。僕らにとっても必ず全力で打ってくる打者でした」

王も打撃投手に対して面倒見がよかった。

扇原の後に、王の打撃投手になったのが、前述した峰である。

昭和四九年のオフに、ハンク・アーロンと王の本塁打競争が行われたが、王が投げる投手に指名したのが峰だった。峰にとって超満員の後楽園球場で晴れのマウンドに立つのは光栄以外の何物でもない。しかし本塁打競争は一〇対九でアーロンに軍配が上がった。峰は緊張して上手く投げられず、王に悪いことをしたと悔やんだ。

ところが王は競技の後に、峰を「さあ行こう」とアーロンのいる貴賓室に連れていって貰った。色紙の片方に王貞治と書くと、もう片方の色紙を王はアーロンに渡してサインをした。それが王からのプレゼントだった。一枚の色紙に王、アーロンの連名のサインはとても貴重だ。それも王は三枚も書いてもらってくれた。

峰がこの年限りで巨人を辞めると伝えたとき、年末に突然電話があった。冬の多摩川グラウンドに峰は王から呼び出された。王は懐から封筒を取り出すと「これは餅代だよ。僕のために投げてくれてありがとう」そう言って渡すと、小走りに去って行った。封筒には二〇万円が入っており、当時の峰の給料よりも多かった。

王は峰の前では豪快な放屁も何度もした。一人の人間として付き合ってくれたのだと思い嬉しかった。球界を去った今でも、王からは一筆メッセージを添えられた年賀状が毎年届く。

王、長嶋と世紀の大打者の活躍の陰には、名前も出ることのない打撃投手の存在があった。彼らを抜きにして大打者の現役生活は語れないのも事実だ。だが彼らがいつも二人と行動をともにし、彼らが大きな働きをしたことを語る人はほとんどいない。彼らはどんなに感謝をされても影の存在でしかなかった。

巨人が九連覇したときの打撃投手の心情である。匿名を条件に本音を語ってくれた。

「僕らも優勝するために打撃投手をやりました。でも優勝の騒ぎでは蚊帳の外なんです。選手と違って喜びの中心に行けない哀《かな》しさがありました。だから優勝の瞬間が本当に嫌だった。祝勝会にも行けず、寮で仲間としみじみと酒を飲んだのも青春だったと思います」

だがマスコミも、ファンも彼らの功績に注目しなくても、実際に投げてもらった打者たちは決して忘れない。それが王、長嶋であれば、これ以上の打撃投手冥利に尽きることはないだろう。これこそ打撃投手への最大の賛辞ではないだろうか。

おわりに——組織人として優れた打撃投手

今回打撃投手を広く取材して初めてわかった点がある。

一流と呼ばれる打撃投手の条件が、私の概念の中で大きく変わったのである。一流の打撃投手は、いかに打者にとって打ちやすい球を多く投げられるか、打者の要求するコースに確実に投げられるか、だとこれまで私は考えていた。

だが今、球界で投げ続ける打撃投手に改めて話を伺って、その仕事は、打ちやすい球、ストライクを確実に投げることだけではない点を知った。もちろん、これらは打撃投手として必要な技術だが、これは土台と言うべきであって、それだけでは条件を満たさない。これにプラスアルファとして、打者といかに意思の疎通をはかることができるか、という能力が必要だとわかった。打者と意思の疎通を円滑にすることで、打者の心理や状態を理解し、キャッチボールや、会話をする感覚で打者に投げ続け、彼らの気持ちを乗せてやることである。投げながら打者を育ててゆく、同時に打者に助言もする。ここに打撃投手の技術の神髄がある。

同時にいい打者との出会いがあって、打撃投手も成長してゆくという点である。多くの打撃投手が、彼らが打撃投手になったばかりのとき、打者が多少のボール球でも打ってくれたと語っている。そのことで彼らはリズムに乗って投げることができ、ストライクゾーンに投げるコツを摑んだと言っている。逆に凡庸な打者と出会って、ストライクを見逃されてしまい、調子が狂い、ストライクが入らなくなり、イップスになってしまったと告白する人もいた。

本書に登場する打撃投手が語っていたように、打撃投手にとってのストライクは、野球規則に決められたストライクゾーンではない。打者が打ってくれたコースがストライクゾーンなのである。かつて近鉄バファローズ、オリックス・バファローズで六〇歳まで打撃投手を務めた水谷宏は一流打者と凡庸な打者との違いをこう話してくれたことがある。

「一流の打者はボールくさい球もどんどん打ってゆく。だけどそうでない打者は見送ってしまう。見送るというより手が出ないんだね」

打撃投手が一流になれるか、なれないか、その要諦は組んだ打者にもよる。打者によって打撃投手も育てられるのだ。

打者と打撃投手の関係を、巨人の打撃投手白井正勝は「旦那と女房」の関係に喩えた。

打撃投手は打者に正対して投げるから、ケージの後ろで見ている監督や打撃コーチよりも打者の状態がよく見える。しかも毎日投げるから、他の人が見逃してしまう些細な変化にも気がつく。打撃投手はそんな主人をすべて把握したうえで、気持ち良く試合に送り出す。まさに糟糠《そうこう》の妻である。打撃練習の主体は打者であるように見えて、じつは打撃投手が打者を掌《てのひら》で転がしているのだ。これが彼らの究極のコミュニケーション力である。

同時に一流と呼ばれる打撃投手は、打者のタイミングに合わせて投げていない。自分の投球のペースで投げることで、結果として打者が彼らのタイミングに合わせて打っている。

一見、打者中心に投げるのが打撃投手の役目のように見えるが、じつは彼らは自分主導で投げている。知らず知らずのうちに打者をそうさせている。それはどんなスター選手に対しても同じだ。そこに一流と呼ばれる打撃投手の凄さがある。

精神的な強さがここにある。私はこのことが打撃投手を単なる影の存在に留《とど》まらず、専門職として一つの評価を持ちえる大きな理由だと感じた。

サッカーに人気を奪われがちな、日本のプロ野球であるが、じつに奥深い世界がここにあることを知っていただけたらと思う。そんな思いで多くの野球を愛する方に手に取っていただけたら著者としてこれ以上の幸いはない。

最後になりましたが、本書を書くにあたり、取材にご協力いただいた打撃投手の方々、球界関係者の皆様に厚くお礼を申し上げます。なお、作品の性質上、敬称は略しました。

平成二三年一一月一五日

澤宮　優

文庫版あとがき――打撃投手から見た「平成野球絵巻」

平成も昨年四月いっぱいで終わり、五月から令和に改元された。平成は昭和に比べ、半分ほどの期間だったが、時代の加速度は猛スピードで進んだ。平成の初期と比べ、当時では想像もできないほど情報化、規制緩和、そして組織での人員削減による効率重視の社会になった思いがする。その最たるものはＡＩ（人工知能）が職場に導入され、人間の代わりを果たすようになった点である。ＡＩの可能性は未知数だが、これからどれほど人間の仕事を奪い、非人間化された社会になるのだろうか。

そんなことを令和元年の年末に考えていたら、打撃投手の仕事を思い出した。打撃投手は昭和三〇年代後半に専門職として球界に置かれるようになった。

その後、打撃練習用のピッチングマシンが開発され、速さや変化球も自在に操れるようになったが、なぜかプロ野球界ではピッチングマシンよりも実際に人が投げる打撃投手の球が重要視されている。昭和の終わりから平成が終わるまで、打撃投手の数は一〇人程度と変わりなく各球団に存在することからも明らかだ。

それは世の機械化の流れに逆行するように、人間の手仕事である打撃投手は今も野球界でとても必要とされ続けている。これはきわめて不思議な現象である。人間の手仕事がどんどんとITに奪われる中、打撃投手だけは時代の流れに左右されず、機械以上に高く評価されている。

打撃投手を取材してゆくと、人の手仕事の重要性、人間の本来持つ能力の高さを再認識させられた。

私は平成一五年に『打撃投手』(現代書館・その後『この腕がつきるまで』と改題されて、角川文庫から刊行)という本を上梓した。じつは打撃投手は小学生の頃から興味の対象だった。

打撃投手に興味を持ったのは、昭和四九年、私が小学校四年生のときである。本書でも少し触れているが、漫画「あぶさん」で、近畿大学のエースでドラフト一位で南海ホークス(現福岡ソフトバンクホークス)に入団しながら、芽が出ず、打撃投手を務めている西村省一郎の存在を知ったのがきっかけであった。その年の秋、王貞治とハンク・アーロンの本塁打競争が行われ、王に投げたのが峰国安という打撃投手だった。王のために専属で投げる打撃投手がいたことを知った。

大スターの陰で、自分を殺して選手のために投げる人がいることに衝撃を受けた。哀しくもあったし、それでも投げ続けることにこだわる投手のプライドも感じた。世の中には陰に回って華やかな世界を支える存在があり、そのことに誇りを持って生きている人たちの姿を知った。それが私を打撃投手につねに目を向けさせる強い理由になった。

平成一〇年頃から打撃投手に取材をして、書きあげたのが前著である。これは主に昭和から平成初期の打者に投げた打撃投手を対象としている。

本書『バッティングピッチャー』は、同じ打撃投手を扱っているが、平成期のスーパースターを相手に投げた打撃投手の物語である。いわば現代版の打撃投手物語である。イチロー、松井秀喜、前田智徳、落合博満、門田博光、清原和博、小笠原道大、ラミレス、阿部慎之助、山﨑武司ら平成を彩ったスターが登場する。昭和に活躍した選手も一部いるが、平成に入っても燦然《さんぜん》と輝く成績を残した。そんな彼らの素顔が打撃投手から語られる。イチローが類まれなるホームランバッターであるという事実は、打撃投手から教えられた逸話である。

何より大打者から厚い信頼を得て、彼らの栄光のために身を粉にして投げ続けた打撃投手の生きざまは、やはり素晴らしいという一言に尽きる。

かつて打撃投手は、現役の投手として大成できなかった者が、制球力を買われ、引退後の雇用先として球団専属の打撃投手に就くことが多かった。現在はそれだけでなく、新人王などのタイトルホルダーや、エースとして活躍した投手が打撃投手になるケースも増えた。

新人王に輝いた渡辺秀一（ソフトバンク）、杉山賢人（西武ほか）、巨人でエースだった入来祐作がそうである。彼らが過去の栄光と決別し、気持ちを切り替えて影の存在に徹してプロのスタッフとして生き続ける姿は、野球界だけでなく、ビジネスの世界でも大いに参考になるはずだ。

そして平成のスポーツ界で新たに話題になった現象も本書に取り上げた。それは「イップス」である。もともとはゴルフで機能障害のために腕が固まってパットが打てなくなる症状だった。平成も半ばになると野球界でもボールが投げられない「イップス」という現象がさかんに話題にされるようになった。

イップスは現役の投手や野手以上に、打撃投手に多く見られる現象であることは本書で初めて明かした。突然腕が固まり、打撃ゲージの外にボールを投げたり、ホームベースまでボールが届かない症状が起こる。原因も不明、完治するのも難しく、イップスで打撃投手を辞める者も多い。

前述した入来は横浜で打撃投手をしているとき、突然イップスに襲われた。彼の苦悩はぜひ本書を読んでいただきたい。それほどに打撃投手は厳しい仕事である。

本書では、イップスを学術的に解明するため、体育大学の体育心理学の教授にも取材した。野球においてのイップスについて専門家の知見を紹介した最初の本になるだろう。

さて令和の時代にはスポーツ界はどのような動きがあるだろうか。効率化が進む中でも打撃投手は、これからも存在し続けるような気がする。なぜそう言えるのか。それは本書に登場した打撃投手の言葉が本質を突いている。

「バッティングマシンは確かに便利です。数もたくさん打てますね。でも打撃投手はマシンにないものがあります。それはキャッチボールに近いといいますか、投げる者、打つ者の心の通じ合いがあるのです。打撃投手は打者のいちばんの理解者です。投げるタイミングも自在にできますし、打つほうはいろいろな注文も出せます。彼らが打者の調子をよく知っていますから、ただ投げるのでなく、打者の希望を汲み取ったり、配慮して弱点にも投げたりと、調子に乗せてくれます。彼らは打者の味方でもあり、打者の写し鏡ですね」

何より彼らは生きた球を投げる。微妙に癖のある、回転し揺れ動く、息のかかった球を投げる。これは生身の人間が投げるから可能であって、機械にはできない。これこそもっとも実戦に近い打撃練習になることは言うまでもない。

打撃投手は打者の女房役とも言われる。それは今の時代にもっとも忘れ去られた、人間と人間の絆によって仕事がなされるという根本の原理である。その重要性を打撃投手の働きは私たちに教えてくれている。

人間の普遍的な仕事のあり方、手仕事の大事さを今後どう生かしてゆくか、打撃投手の熟練した技術から私たちは問いかけられているように思う。

そんな思いから、働くことの意味、生きることの意味をもう一度今に伝えたく、文庫化して再度刊行することにした。

本書は打撃投手そのものの人生を描きながら、彼らから見たスター選手の姿を通して「平成の野球絵巻」にもなりえているのではないかと自負している。ふだん報道されないスター選手たちの人間味が、打撃投手との関りで露わになるのも興味深い。

前著と違って若い読者の方にもなじみのある選手が多いので、すんなりと本書に入っていただけることと思う。

最後になりましたが、本書の文庫化に尽力いただきました集英社文庫編集部、親本の文庫化を快諾していただきました講談社出版部の皆様にお礼を申し上げます。

令和二年三月初旬

澤宮　優

主要参考文献

本文中に記した出典もあります。

落合博満『プロフェッショナル』ベースボール・マガジン社　平成一一年一二月
奥村幸治『イチローの哲学　一流選手は何を考え、何をしているのか』ＰＨＰ研究所　平成二三年一月
美山和也・加藤慶・田口元義『プロ野球「戦力外通告」終わらない挑戦編』洋泉社　平成二三年三月
澤宮優『打撃投手』現代書館　平成一五年八月
「みんなのカープ　打撃投手井上さん『半生共に…お疲れ』」「中國新聞」平成二一年三月二三日付
「祝　初勝利&名セットアップミニ・インタビュー　西清孝67」「月刊ベイスターズ」一九九五年五月号
「日めくりプロ野球4月　4月25日　1997年（平9）苦節13年、打撃投手出身の横浜・西にプロ初勝利」「スポニチアネックス」
「ボクの思い出のゲーム　平沼定晴」「月刊ドラゴンズ」平成一四年七月号
「法さんの球友録　21回　平沼定晴」「月刊ドラゴンズ」平成二〇年一〇月号

「報知高校野球」昭和五七年五・六月号　報知新聞社
「週ベオーロラビジョン　縁の下の力持ち　松浦正」「週刊ベースボール」平成一〇年六月一日号　ベースボール・マガジン社
「13年間巨人の打撃投手を務めた竹下浩二氏が激白するマル秘エピソード　私が見た！松井、清原、高橋…」「週刊宝石」平成一二年一月二七日号　光文社
赤坂英一「清原にアツくなり、高橋にムカつく〝打撃投手はつらいよ〟」「新潮45」平成一二年一一月号　新潮社
「ON砲の猛打を助けるカゲの投手――木戸、近藤らの努力に脱帽する王、長島」「週刊ベースボール」昭和三八年六月一七日号　ベースボール・マガジン社
「巨人軍残酷物語――長島、王らスター選手のカゲの苦労――12球団週間報告」「週刊ベースボール」昭和三八年七月二九日号　ベースボール・マガジン社
「用具係を新しく採用　12球団週間報告」「週刊ベースボール」昭和三九年一月六日号　ベースボール・マガジン社
「淡島千景は長島茂雄の恋人か？」「週刊ベースボール」昭和三九年二月三日号　ベースボール・マガジン社
「燃える赤バット長島の個人的秘密」「週刊ベースボール」昭和三九年五月四日号　ベースボール・マガジン社

「巨人の星　支える裏方」「朝日新聞」昭和四四年六月二二日付
大道文「ヒューマン・ドキュメント　ヒーローの人間模様　第1回　巨人軍打撃投手
山口富夫の巻」「週刊ベースボール」昭和五二年一二月一二日号　ベースボール・マガジン社

＊その他「報知新聞」ほか各種スポーツ新聞などを参考に致しました。

本文中に登場する選手や球団関係者などの名前、肩書、年齢などは単行本刊行当時のものです。

本書は、二〇一一年一二月、書き下ろし単行本として講談社より刊行された『打撃投手　天才バッターの恋人と呼ばれた男たち』を文庫化にあたり、「第八章　打撃投手から見たONの素顔」を加え、『バッティングピッチャー　背番号三桁のエースたち』と改題したものです。

澤宮優の本

スッポンの河さん
伝説のスカウト河西俊雄

江夏豊、掛布雅之、野茂英雄、中村紀洋、福留孝介……今でも燦然と輝く記録と記憶を残した名選手たちを獲得した伝説のスカウトマン河西俊雄を丹念な取材で追ったノンフィクション。

集英社文庫

澤宮優の本

炭鉱町に咲いた原貢野球

三池工業高校・甲子園優勝までの軌跡

三池工業、甲子園初出場初優勝の奇跡と軌跡！監督・原貢氏の息子・辰徳氏や、孫である日本球界のエース菅野智之投手にも追加取材。偉業の裏にあった数々のドラマを克明に綴る。

集英社文庫

集英社文庫　目録（日本文学）

佐藤賢一　聖者の戦い　小説フランス革命4
佐藤賢一　議会の迷走　小説フランス革命5
佐藤賢一　シスマの危機　小説フランス革命6
佐藤賢一　王の逃亡　小説フランス革命7
佐藤賢一　フイヤン派の野望　小説フランス革命8
佐藤賢一　戦争の足音　小説フランス革命9
佐藤賢一　ジロンド派の興亡　小説フランス革命10
佐藤賢一　八月の蜂起　小説フランス革命11
佐藤賢一　共和政の樹立　小説フランス革命12
佐藤賢一　サン・キュロットの暴走　小説フランス革命13
佐藤賢一　ジャコバン派の独裁　小説フランス革命14
佐藤賢一　粛清の嵐　小説フランス革命15
佐藤賢一　徳の政治　小説フランス革命16
佐藤賢一　ダントン派の処刑　小説フランス革命17
佐藤賢一　革命の終焉　小説フランス革命18
佐藤正午　永遠の½

佐藤多佳子　夏から夏へ
佐藤初女　おむすびの祈り　「森のイスキア」こころの歳時記
佐藤初女　いのちの森の台所
佐藤真海　ラッキーガール
佐藤真由美　恋する短歌　22 short love stories
佐藤真由美　恋する歌音《カノン》　こころに効く恋愛短歌50
佐藤真由美　恋する四字熟語
佐藤真由美　恋する世界文学
佐藤真由美　恋する言《コト》ノ葉《ハ》　元気な明日に、恋愛短歌。
佐野眞一　沖縄　だれにも書かれたくなかった戦後史(上)(下)
佐野眞一　沖縄戦いまだ終わらず
佐野藤右衛門　小田豊二　櫻よ　「花見の作法」から「木のこころ」まで
沢木耕太郎　天涯1　鳥は舞い　光は流れ
沢木耕太郎　天涯2　水は囁き　月は眠る
沢木耕太郎　天涯3　花は揺れ　闇は輝き
沢木耕太郎　天涯4　砂は誘い　塔は叫ぶ

沢木耕太郎　天涯5　風は踊り　星は燃え
沢木耕太郎　天涯6　雲は急ぎ　船は漂う
沢木耕太郎　オリンピア　ナチスの森で
澤田瞳子　泣くな道真　大宰府の詩
澤宮優　炭鉱町に咲いた原貢野球　三池工業高校・甲子園優勝までの軌跡
澤宮優　スッポンの河さん　伝説のスカウト河西俊雄
澤宮優　バッティングピッチャー　背番号三桁のエースたち
沢村基　たとえ君の手をはなしても
サンダース・宮松敬子　カナダ生き生き老い暮らし
三宮麻由子　鳥が教えてくれた空
三宮麻由子　そっと耳を澄ませば
三宮麻由子　ロング・ドリーム　願いは叶う
三宮麻由子　世界でただ一つの読書
三宮麻由子　四季を詠む　365日の体感
椎名篤子・編　凍りついた瞳《め》が見つめるもの
椎名篤子　親になるほど難しいことはない

集英社文庫　目録（日本文学）

集英社文庫　目録（日本文学）

椎名誠／目黒考二　本人に訊く〈弐〉 おまたせ激突篇
塩野七生　ローマから日本が見える
塩野七生／アントニオ・シモーネ　ローマで語る
志賀直哉　清兵衛と瓢簞・小僧の神様
篠綾子　岐山の蝶
篠田節子　絹の変容
篠田節子　神鳥《イビス》
篠田節子　愛《めで》逢《あ》い月《づき》
篠田節子　女たちのジハード
篠田節子　インコは戻ってきたか
篠田節子　百年の恋
篠田節子　聖域
篠田節子　コミュニティ
篠田節子　アクアリウム
篠田節子　家《や》鳴《な》り
篠田節子　廃院のミカエル

篠田節子　弥勒
司馬遼太郎　歴史と小説
司馬遼太郎　手掘り日本史
柴田錬三郎　柴錬水滸伝 われら梁山泊の好漢（一・二・三）
柴田錬三郎　英雄三国志一 義軍立つ
柴田錬三郎　英雄三国志二 覇者の命運
柴田錬三郎　英雄三国志三 三国鼎立
柴田錬三郎　英雄三国志四 出師の表
柴田錬三郎　英雄三国志五 攻防五丈原
柴田錬三郎　英雄三国志六 夢の終焉
柴田錬三郎　われら九人の戦鬼(上)(下)
柴田錬三郎　新篇 眠狂四郎京洛勝負帖
柴田錬三郎　新編 剣豪小説集 梅一枝
柴田錬三郎　徳川三国志
柴田錬三郎　新編 武将小説集 男たちの戦国
柴田錬三郎　柴錬の「大江戸」時代小説短編集 花は桜木

柴田錬三郎　チャンスは三度ある
柴田錬三郎　眠狂四郎異端状
柴田錬三郎　貧乏同心御用帳
柴田錬三郎　御家人斬九郎
柴田錬三郎　真田十勇士(一) 運命の星が生れた
柴田錬三郎　真田十勇士(二) 烈風は凶雲を呼んだ
柴田錬三郎　真田十勇士(三) ああ！ 輝け真田六連銭
柴田錬三郎　眠狂四郎孤剣五十三次(上)(下)
柴田錬三郎　眠狂四郎独歩行(上)(下)
柴田錬三郎　眠狂四郎殺法帖(上)(下)
地曳いく子　50歳、おしゃれ元年。
地曳いく子／槇村さとる　ババア上等！ 大人のおしゃれDO! & DON'T!
島尾敏雄　島の果て
島﨑今日子　安井かずみがいた時代
島崎藤村　初恋―島崎藤村詩集
島田明宏　ダービーパラドックス

集英社文庫

バッティングピッチャー　背番号三桁《せばんごうさんけた》のエースたち

2020年3月25日　第1刷　　定価はカバーに表示してあります。

著　者　澤宮《さわみや》　優《ゆう》

発行者　徳永　真

発行所　株式会社　集英社
東京都千代田区一ツ橋2-5-10　〒101-8050
電話　【編集部】03-3230-6095
　　　【読者係】03-3230-6080
　　　【販売部】03-3230-6393（書店専用）

印　刷　株式会社 廣済堂

製　本　株式会社 廣済堂

フォーマットデザイン　アリヤマデザインストア　　マークデザイン　居山浩二

本書の一部あるいは全部を無断で複写複製することは、法律で認められた場合を除き、著作権の侵害となります。また、業者など、読者本人以外による本書のデジタル化は、いかなる場合でも一切認められませんのでご注意下さい。

造本には十分注意しておりますが、乱丁・落丁（本のページ順序の間違いや抜け落ち）の場合はお取り替え致します。ご購入先を明記のうえ集英社読者係宛にお送り下さい。送料は小社で負担致します。但し、古書店で購入されたものについてはお取り替え出来ません。

© Yu Sawamiya 2020　Printed in Japan
ISBN978-4-08-744089-8 C0195